Lessons from P.F. Drucker
a way of self-development

実践するドラッカー
[行動編]

上田惇生[監修]
佐藤等[編著]

ダイヤモンド社

本書の使い方

成果をあげるために必要なのは、才能ではありません。それは習慣であり、誰もが身につけることができます。

そこで、ドラッカー教授が示したセルフマネジメントの極意を二部作にまとめました。基本的な考え方を記したのが『実践するドラッカー［思考編］』であり、それを実現するための行動原理を記したのが、本書『実践するドラッカー［行動編］』です。

本書では、成果をあげるための具体的な方法について記しています。すべての資源となる時間をどう確保するか。目指すべきゴールをどう決め、どのような道筋で向かうか。長い人生の中で、いかに自分自身を成長させ続けるか。

ワークシートなどを駆使して教授の教えを心身に取り込み、常に成果をあげられる人を目指しましょう。

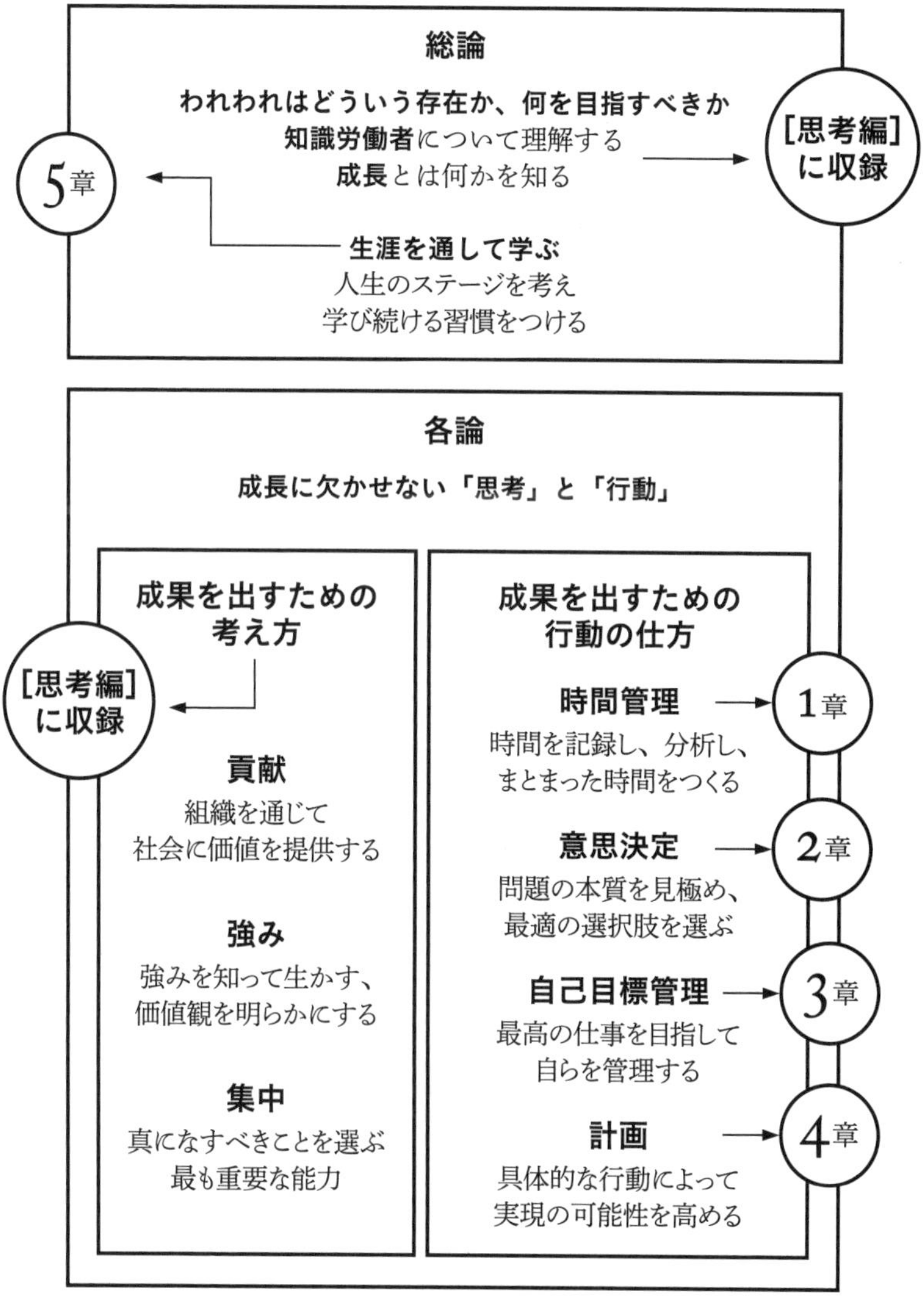
総論
われわれはどういう存在か、何を目指すべきか
知識労働者について理解する
成長とは何かを知る
[思考編]に収録
5章
生涯を通して学ぶ
人生のステージを考え
学び続ける習慣をつける
各論
成長に欠かせない「思考」と「行動」
成果を出すための考え方
[思考編]に収録
貢献
組織を通じて
社会に価値を提供する
強み
強みを知って生かす、
価値観を明らかにする
集中
真になすべきことを選ぶ
最も重要な能力
成果を出すための行動の仕方
時間管理
時間を記録し、分析し、
まとまった時間をつくる
1章
意思決定
問題の本質を見極め、
最適の選択肢を選ぶ
2章
自己目標管理
最高の仕事を目指して
自らを管理する
3章
計画
具体的な行動によって
実現の可能性を高める
4章

実践するドラッカー【行動編】

目次

Chapter 1 時間が成果を決める

Chapter 2

意思決定が未来をつくる

Chapter 3

目標が成長を促す

Chapter 4

***

計画が実現性を高める

Chapter 5

生涯を通して学ぶ

第1章

時間が成果を決める

Lessons from P.F. Drucker a way of self-development

知識労働においては時間の活用と浪費の違いは成果と業績に直接現れる。

（『経営者の条件』…………p.57）

成果をあげるために、どれぐらい時間を確保していますか。

ドラッカー教授は、時間こそが真に普遍的な制約条件だとして、「ほとんどの人が、この代替できない必要不可欠にして特異な資源を当たり前のように扱う」と警鐘を鳴らします（『経営者の条件』）。

肉体労働者は「一時間で何個運ぶか」を問われますが、知識労働者は「一時間で何を生み出すのか」を問われます。効率より効果、平凡な企画を三本立てるより、卓越した企画を一本立てることが重要です。

あらゆる仕事には、時間が必要です。この貴重な資源をうまく使う方法を身につけましょう。

A lesson from P.F. Drucker

時間は常に奪われる

現実は、時間がすべて他人にとられてしまうことである。（中略）誰でも彼の時間を奪える。現実に誰もが奪う。このことに抵抗する術はほとんど何もないかのようである。

『経営者の条件』……… p. 28, p. 29

時間は、いつも足りません。私たちはよく時間がないとこぼしますが、そのわりには、時間を確保するための自衛手段をとっている人は少ないようです。

時間管理の第一の目的は、自由になる時間を取り戻すことです。私たちのまわりにいる時間泥棒の手から、時間を奪還するのです。

滝のようなメール、形式化した書類の作成、目的の曖昧な会議、アポイントなしで割って入ってくる売り込み電話、たいした用もなく何度も話しかけてくる人など、例を挙げればきりがありません。

しかも困ったことに、時間泥棒を取り締まることは難しく、また、奪う側にはほとんど罪の意識がありません。

何にも替えがたい貴重な資源であるからこそ、成果をあげるには、時間泥棒から身を守る工夫が必要です。

A lesson from P.F. Drucker

***

使える時間を創造する

成果をあげる者は仕事からスタートしない。時間からスタートする。

『経営者の条件』……p. 46

時間をどのように使うかから考えてはいけません。どれだけ確保できるかを最初に考えるのが、ドラッカー流時間管理の神髄です。

たいていの人は、スケジュール管理と時間管理とを混同しています。問われているのは、手帳の空欄を埋めることではなく、空欄を生み出す能力です。

成果をあげる人は、仕事の計画から始めるのではなく、時間の創造から始めます。意思決定にも行動にも時間が必要であり、その量によってできることが変わってきます。つまり、時間が成果の大きさを決めるのです。

ある程度まとまった時間がなければ、たいしたことは成し遂げられません。自由に使える時間を確保しなければ、いくら効率よく時間を使う方法を身につけたところで、意味がないのです。

すべては、時間の量の確保から始まります。

A lesson from P.F. Drucker

まず、成果を意識する

一般に人は時間を管理する用意ができていない。(中略)時間を管理するには、まず自らの時間をどのように使っているかを知らなければならない。

『経営者の条件』……p. 47, p. 48

時間という資源がインプットであるならば、アウトプットは成果です。時間という資源の管理は、成果を意識して初めて意味をもちます。成果という目的地がわからなくては、

燃料の配分も使い方もコントロールできません。
ですから、次の三点を整理しておきましょう。

・何を成果とするか
・そのために、時間をどう使うか
・翻って、いま、自分はどのような状況にあるか

一人ひとりが目指す成果は多様です。仕事の成果はもちろん、学び、健康の維持、家族とのコミュニケーション、人間的成長、社会貢献、レクリエーションなどにも成果があります。

時間管理は、現在位置を確認することから始まります。さまざまな成果を手にするために、何より最初にすべきことは、立ち止まって時間の使い方を点検することです。

A lesson from P.F. Drucker

記憶は当てにならない

知識労働者が成果をあげるための第一歩は、実際の時間の使い方を記録することである。

『経営者の条件』……p. 57

時は金なり。しかし、時間はお金ほどには大切に管理されていないのが現実です。金の入りと出には、人は敏感です。年収が減れば、当然のように節約するでしょう。時間の入りと出に無頓着でいられるのは、今日時間を浪費しようが、明日にはまた同じだけ、

しかも懐を痛めることもなく手に入るからではないでしょうか。

しかし、光陰矢のごとし。人生の総時間を考えると、本当は、時間は無尽蔵ではありません。ですから、時間の出、つまり、使い方の質が成果を左右するのです。

質を判断するには、実際に時間をどう使っているか、記録してみなければわかりません。人間の記憶ほど当てにならないものはないからです。大切な顧客に時間を使っていると思い込んでいたある会社の会長は、記録をとって初めて、それが都合のよい記憶にすぎなかったことがわかりました。

昨日何をしていたのか、分単位で思い出せる人はまずいません。だからこそ、記録しなければならないのです。

記録がなければ、いくら理想の時間の使い方を考えても机上の空論です。記録こそ、時間管理の第一歩です。

それでは、これから二週間、時間の使い方を記録することから始めましょう。思い立ったが吉日です。

コラム　時間の使い方を記録する

あるグローバル企業のCEOは、ドラッカー教授の教えに沿って、まず自分の時間の使い方を記録することから時間の管理を始めました。約一か月の間、何にどれくらい時間を費やしたかを記録するよう秘書に依頼したのです。

CEOという重責をまっとうするには、重要事項に時間を振り向けることが何より重要であり、そのためにはまず、現実がどうであるかを客観的に把握する必要があったからです。

あなたは朝起きてから夜眠りにつくまで、どこで、誰に対して、どんなことに、どれくらい時間をかけているでしょうか。

いまから二週間分、できるかぎり細かく書きとめることから始めましょう。その際、次のポイントを忘れないよう、注意してください。

・目的は、仕事の廃棄、もしくは、人に任せる仕事を発見すること
・まずは、行動・活動をそのまま記述する（カテゴリー分けは後からでよい）

・仕事以外、土日や休日も含め、寝ている時間以外のすべて記述する

・カテゴリー分けは、単に種類で分けるのではなく、目的を記して分類する

× 四月二日一九時〜二一時、食事

○ 四月二日一九時〜二一時、お客様との懇談（食事）

・どんな行動・活動も細かく、網羅的に書く。場合によっては一分刻みも記録する

時間の記録はたくさんの貴重な発見をもたらしてくれます。できれば、こうした二週間の記録を年二回、定期的に行ってください。

A lesson from P.F. Drucker

時間の分析と仕事の分類

時間を記録して分析し、仕事を整理するならば、重要な仕事に割ける時間を把握できる。

『経営者の条件』……p. 71

時間を記録すると、時間の使い方の癖がわかります。問題解決のために割いている時間はどれくらいか、機会を得るために使っている時間はどれくらいか、内向きの仕事と外向きの仕事の比率はどれくらいか。記録によって、偏り

が見えるようになります。

同時に、時間の使い方の無駄も明らかになります。これらは、何をやめるかを決めるとき重要な情報となります。

時間の無駄は、一度解消したら終わりではありません。別の角度から仕事を分類し直せば、さらなる改善点が見えるはずです。

分類したあとに分析を行うと、意外な発見があります。

筆者（佐藤）の場合、メールの返信に仕事の時間の一〇％を使っていることが判明しました。記録をとった期間のうち、仕事に当てた時間が約二〇〇時間、つまり二〇時間もメールに使っていたことになります。そこで、電話で済むことは電話に変えたところ、およそ一〇時間を手にすることができました。

確保した時間は、重要事項に振り向けてください。私たちはつい、「緊急ではないが重要な仕事」を後回しにしがちです。しかし、時間を創造するのは、重要な仕事に振り向ける時間を確保するためです。

仕事の分類チェック表

□ デスクワーク（社内報告書類、データ管理等）

時間　　分（全仕事時間の　　％）

□ 電話対応

時間　　分（全仕事時間の　　％）

□ メール対応

時間　　分（全仕事時間の　　％）

□ 情報収集（ネット、新聞、雑誌の閲覧等）

時間　　分（全仕事時間の　　％）

□ 移動時間

時間　　分（全仕事時間の　　％）

□ 昼食、休憩等

時間　　分（全仕事時間の　　％）

□ その他（　　　　　　　　）

時間　　分（全仕事時間の　　％）

仕事の分類チェック表

以下に仕事の分類の一例を挙げます。ここ１週間でどの項目にどれくらい時間を使っていたか、調べてみましょう。また、１週間の仕事時間に占める割合も計算すれば、時間の使い方の癖がよりはっきりと見えてきます。

仕事時間　１週間で合計　　　時間　　　分

☐ **打ち合わせ・商談（対顧客）**

　　　時間　　　分（全仕事時間の　　　％）

☐ **社内会議（意思決定、ブレスト等）**

　　　時間　　　分（全仕事時間の　　　％）

☐ **社内調整（上司や関係各所への連絡、報告等）**

　　　時間　　　分（全仕事時間の　　　％）

☐ **デスクワーク（顧客向け提案資料、企画書作成等）**

　　　時間　　　分（全仕事時間の　　　％）

A lesson from P.F. Drucker

***

記録は現実をあぶり出す

時間の記録を一瞥しただけで、重要なこと、したいこと、自らの責任でなすべきことに使える時間のまったくないことがあまりに明白になる。

『経営者の条件』……p. 60

成果が横這い、あるいは成果が落ちている人の時間の使い方を見てみると、不思議と共通点があることに気づきます。それは、数年前の時間の使い方と現在の時間の使い方が、

ほとんど同じだということです。

これらの人は、一時間当たりのアウトプットの質を高めること、つまり仕事の重要性のレベル上げることをほとんどしていませんでした。目先のことに追われ、重要なこと、なすべきことを後回しにしているのです。

何年も同じ仕事を抱えている人が多い組織は、注意が必要です。一時間当たりの効率は上がるかもしれませんが、一時間当たりの成果の向上は、あまり期待できません。

成果をあげるには、時間の使い方を変える必要があります。時間の記録を見る前に、いま一度確認しましょう。

・いま行うべきことは何か
・重要なことは何か

そのあとで、時間の記録結果を見てください。これらの問いに応える行動にどれぐらい時間を費やしていたでしょうか。

それが、あなたの時間の使い方です。まずは現実を見つめるところから始めましょう。

コラム　時間管理は成果につながる

時間配分を抜本的に見直すことで、成果は劇的に変化します。ある外資系金融機関のトップ営業として活躍しているAさんの例を紹介しましょう。

Aさんはドラッカー教授の教えに感銘を受け、仕事の分類を見直し、時間管理に着手しました。

まず、現実を知る

当初の課題は、忙しいわりには売上げ目標を達成できていなかったことでした。そこで、どこに原因があるかを突き止めるため、まず現実を知ることから始めました。何にどれくらい時間を使っているかを記録し、正確に把握することにしたのです。

Aさんは、面談、会議、研修、出張、勉強会など、仕事からプライベートまで主なイベントを五七項目に分け、どこに何時間使ったか、一月から一二月まで、月単位で一年間をエクセルに入力し、分析しました。

すると、顧客開拓を目的とする戦略的面談には一年で四三八時間を費やしていましたが、そこから成果につながったのはわずか一七件だったことが判明しました。

「なぜ、こんなに成果件数が少なかったのか」

「どうすれば、この面談を成果につなげることができるのか」

そこで時間の記録を分析してみたところ、面談前の提案書づくりや紹介を依頼するための根回しなど、事前の準備に十分な時間を割いていなかったことが見えてきました。つまり、準備不足のまま、アポイントの数だけは多くこなしていたということです。これが忙しいわりに成果が出ていない主たる原因でした。

重要な行動を特定し、時間を集中させる

そこでAさんは、成果につながる行動を三つに絞り、集中することにしました。

①契約面談……契約という直接の成果を目指す

②戦略的面談……顧客開拓、既契約者のフォローや友人・知人との情報交換等

③提案準備……契約という直接の成果を目指すための提案書作成等の準備

特に戦略的面談では、アポイントの件数をいたずらに増やすよりも、むしろ紹介入手と提案依頼につながりそうな人に絞ることにしました。

また、事前準備に十分な時間を割くとともに、成果を強く意識する問いを立て、常にチェックすることにしました。

「この面談では、どんな成果を目指すのか」
「この人に自分は何が貢献できるのか」
「この面談は互いに有益なことがイメージできるのか」
「この提案では、何が貢献できるのか」

そして成果や貢献をイメージできない面談や、準備をしていない面談はどんどん廃棄し、重要な三つの行動に充てる時間を確保したのです。

Aさんはこうした時間の計画と管理を、毎週日曜と月末に三〇分ほどかけて行っています。

特に重要な三つの行動については、実際に何時間使ったかを記録するだけでなく、「その面談から紹介入手はできたか」「提案の依頼を受けたか」など、得られた成果を書き添えます。また、廃棄すべき項目はあったかどうかもチェックし、翌週の計画に反映させます。

意外と難しかったのは、提案準備のために確保していた時間に、予定どおり提案準備を行えなかったことだそうです。営業という仕事柄、人と会うほうを優先しがちであり、自分だけでできる提案準備の時間に、しわ寄せがいってしまうことでした。こうした自分自身の傾向について把握できるのも、時間管理のメリットの一つです。

Aさんがこの時間管理を始めてから、三か月で売上げは月平均二倍以上、売上構成の中で最重要案件については契約件数が目標の三倍以上となりました。予想以上の結果に自身が一番驚いています。

A lesson from P.F. Drucker

***

非生産的な活動を排除する

次にくる一歩は体系的な時間の管理である。時間を浪費する非生産的な活動を見つけ、排除していくことである。(中略)すべての仕事について、まったくしなかったならば何が起こるかを考える。何も起こらないが答えであるならば、その仕事は直ちにやめるべきである。

『経営者の条件』……p. 58

非生産的な活動は、注意深く探さなければ発見できません。意識して、廃棄すべき対象を見つけることです。かろうじて成果は出ているものの、もはや生産的ではなくなった活動が、どこかに隠れていませんか。

大切なのは、順位です。順位には「優先順位」と「劣後順位」があり、これらをもとに、機械的に決定することがポイントです。例えば、毎年二割、これまでの仕事を必ず廃棄すると決めて、ふるいにかけるのです。

廃棄こそ、時間確保の唯一の手段です。

・その活動は、成果を生んでいるか
・その活動は、効率がよいか
・その活動は、惰性ではないか
・その活動は、重要なものか

やめることは、未来をつくるうえで不可欠です。日々の状況に流されて、何が重要かの判断を間違えることのないよう注意してください。

A lesson from P.F. Drucker

仕事を人に任せる

重要なことに取り組めるようになるには、ほかの人にできることはほかの人にやってもらうしかない。

『経営者の条件』……p. 60

成果をあげる人は、仕事を人に任せることが得意です。部下や同僚にどんどん仕事を渡します。ポイントは、次の二点を振り返ることです。

・その活動は、本当に自分がやらなければならないか
・その活動は、三年前と同じではないか

そうしてできた貴重な時間を、いま以上に重要な、価値あることに使います。例えば、将来の構想を練る、クレーム活用の仕組みを考える、新しいビジネス機会を探すなどです。業績のよい組織はたいてい新人を継続して採用し、任せる人材を確保しているものです。

三年前と同じ仕事をしているようでは、たいした成果は期待できません。仕事を任せることで時間ができ、挑戦の機会が増え、成長が促され、組織の成果もあがる。そんな好循環を目指すためにも、まず、自分に問いかけることから始めましょう。

A lesson from P.F. Drucker

時間の塊をつくる

成果をあげるには自由に使える時間を大きくまとめる必要がある。大きくまとまった時間が必要なこと、小さな時間は役に立たないことを認識しなければならない。

『経営者の条件』……p. 73

成果をあげる人は、まとまった時間の価値を知っています。細切れの時間をたくさん集めるのではなく、連続した時間の塊をいくつつくれたかが重要です。

二時間を一つの塊とすると、睡眠などを除く実働ベースでは一日一六時間、八つの塊があることになります。そんなイメージをもつと、できるだけ多くの塊を確保しようという意識が働き、まず予定の入れ方に変化が表れます。

例えば、来客予定を午前と午後にバラバラと一時間ずつ入れるのではなく、午前中に二件立て続けに入れるようになります。次の予定までゆとりがないぶん、一つひとつの打ち合わせに集中して密度高く行おうという意識が生まれます。

こうして確保した貴重な時間は、「緊急ではないが重要なこと」に使います。メールや電話、ルーティン作業や重要度の高くない業務は、細切れ時間の中で処理してください。

一日の終わりに、二時間の塊を何個確保できたかを振り返ってください。同時に、塊を意識して翌日の計画を立てます。多くの塊を使って重要な仕事を行うようになると、成果の質と量は自ずとよい方向に変わってきます。

ドラッカー教授はまとまった時間をつくるノウハウを教えているわけではありません。私たち自身で開発する必要があります。一案としては、手帳で管理を行うのもよいでしょう。次ページのコラムに簡単な例を紹介します。また、ワークライフ・バランス全体を考慮した筆者（佐藤）の方法については、一八五ページをご参照ください。

コラム　時間の塊を手帳に記録する

まとまった時間づくりは記録から始まります。簡単なエクササイズとして、まずは手帳に一週間分、書きとめてみましょう。当初の計画と、実際に確保できた時間を検証し、時間の感覚をつかみます。主な手順は以下のとおり。

(1)週の初めに、時間の塊（理想は二時間一コマ）がいくつ取れるか確認する
(2)前日の夜か当日の朝に、他にもコマが取れるか予定を見直す
(3)週の終わりに「計画したコマ数」「実際に確保できたコマ数」を比較する

例として、一週間単位、横組み型と縦組み型を用意しました。毎日の欄は線を引くなどして(1)と(2)の記入欄を分けると、塊を把握しやすくなります。

ちょっと予定を動かすだけで時間がまとまることはよくあります。みなさんも自分なりの記録方法を工夫しましょう。

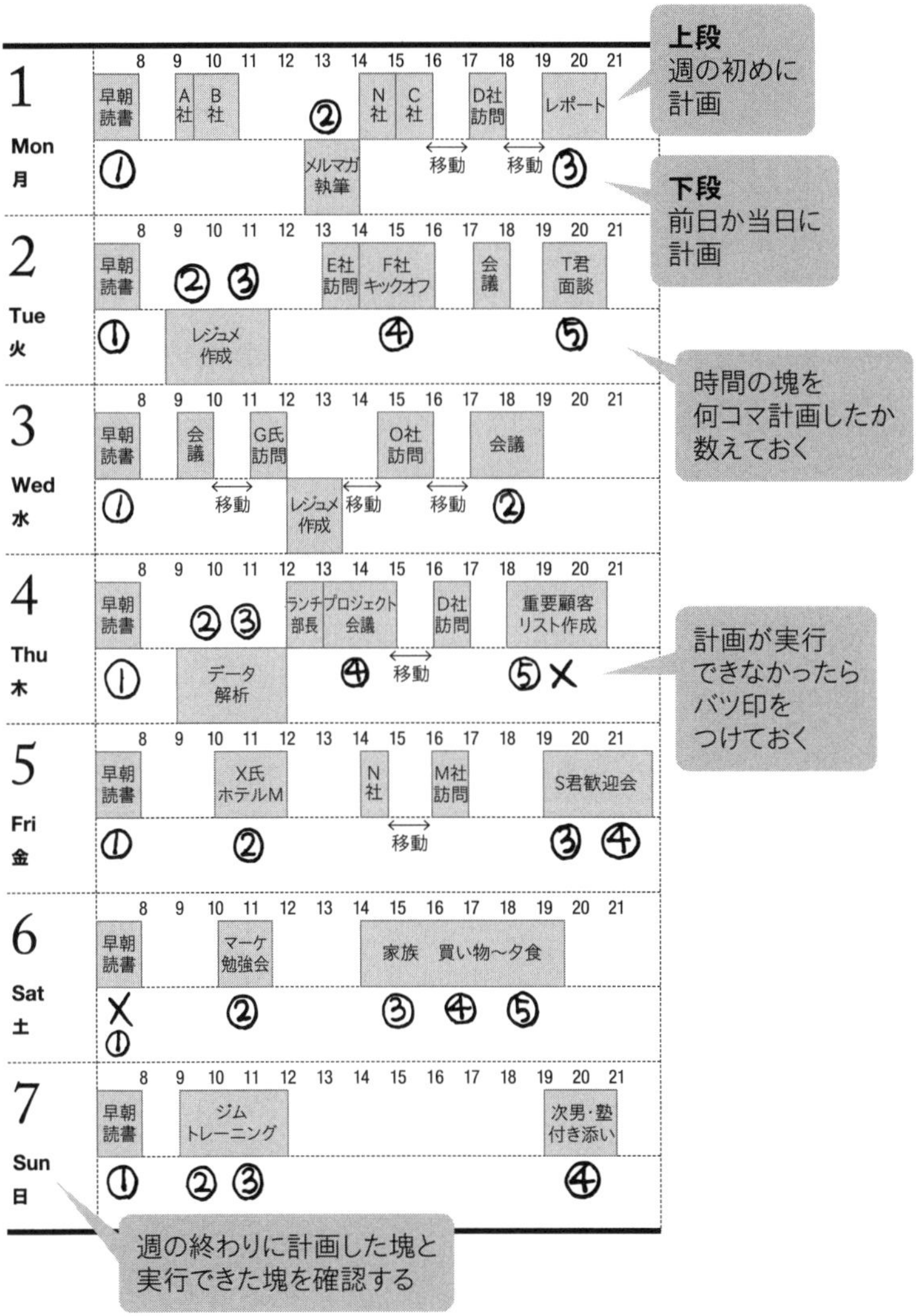
上段
週の初めに
計画
下段
前日か当日に
計画
時間の塊を
何コマ計画したか
数えておく
計画が実行
できなかったら
バツ印を
つけておく
週の終わりに計画した塊と
実行できた塊を確認する
8 9 10 11 12 13 14 15 16 17 18 19 20 21
1 Mon 月
早朝読書
A社
B社
N社
C社
D社訪問
レポート
メルマガ執筆
移動
2 Tue 火
早朝読書
E社訪問
F社キックオフ
会議
T君面談
レジュメ作成
3 Wed 水
早朝読書
会議
G氏訪問
O社訪問
会議
レジュメ作成
移動
4 Thu 木
早朝読書
ランチ部長
プロジェクト会議
D社訪問
重要顧客リスト作成
データ解析
移動
5 Fri 金
早朝読書
X氏ホテルM
N社
M社訪問
S君歓迎会
移動
6 Sat 土
早朝読書
マーケ勉強会
家族 買い物～夕食
7 Sun 日
早朝読書
ジムトレーニング
次男・塾付き添い

4 Thu 木
5 Fri 金
6 Sat 土
ジョグ ①
6:00〜7:00 ジョグ ①
8
9:00〜 歯科 ②
9
F社
訪問 ①
移動
17:00〜 Tさん家 ②
ホームパーティ
10
I社
来社
3/3
11
移動
12
L社
ランチョン ②
13
全体会議 ②
移動
14
資料作成 ③
15
7 Sun 日
16
部内会議
打合せ
午前:床そうじ ①
17
午後:読書 ②
18
移動
2/2
19
OG講演 ③
同期会 ④
20
21
懇親会 ④
⑤
22
4/4
5/5
今週 26/28 (実績)(計画)
週の終わりに計画と実績を比較する

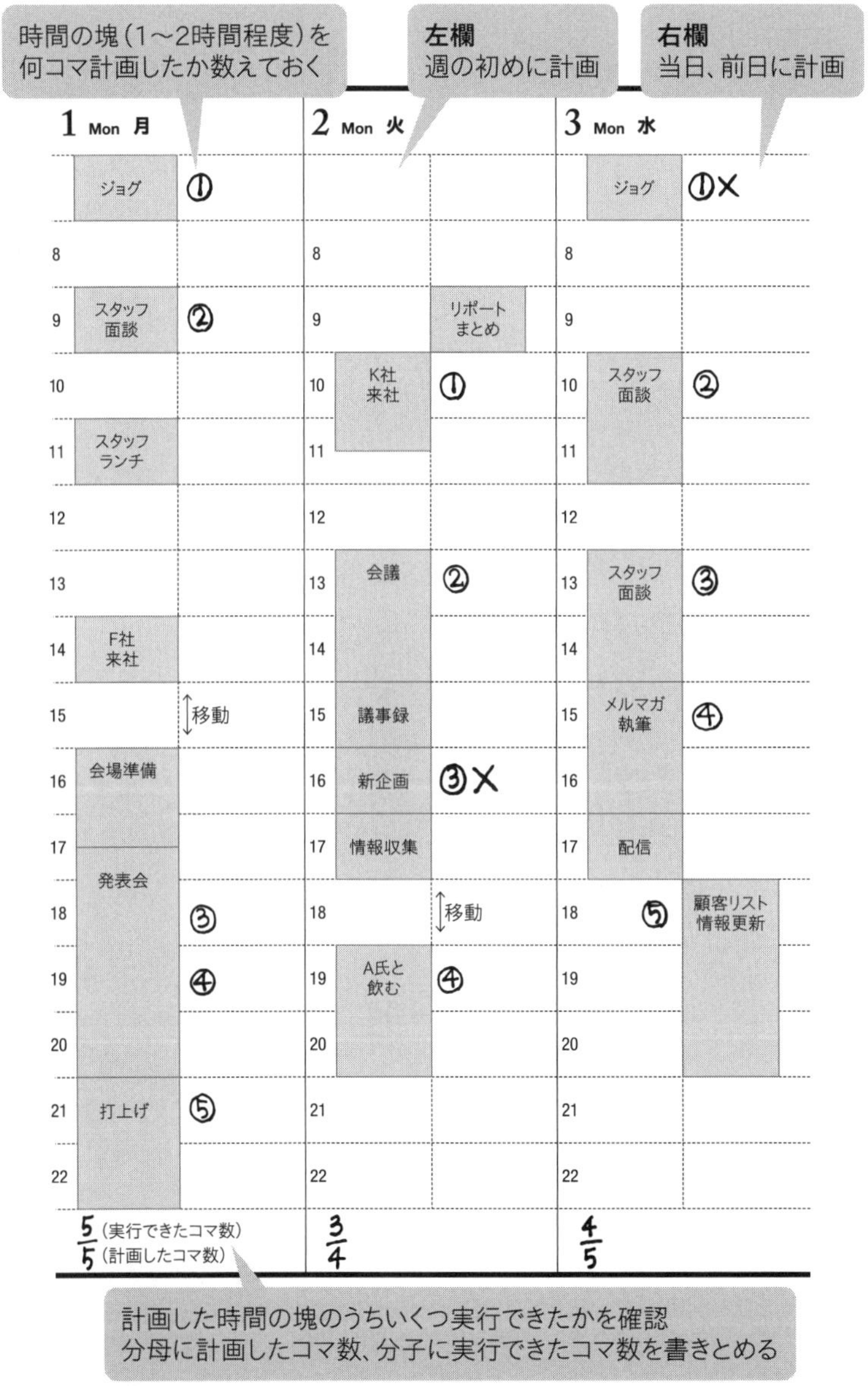
時間の塊（1～2時間程度）を
何コマ計画したか数えておく
左欄
週の初めに計画
右欄
当日、前日に計画
1 Mon 月
2 Mon 火
3 Mon 水
ジョグ ①
スタッフ面談 ②
スタッフランチ
F社来社
移動
会場準備
発表会 ③ ④
打上げ ⑤
リポートまとめ
K社来社 ①
会議 ②
議事録
新企画 ③×
情報収集
移動
A氏と飲む ④
ジョグ ①×
スタッフ面談 ②
スタッフ面談 ③
メルマガ執筆 ④
配信
⑤ 顧客リスト情報更新
5/5（実行できたコマ数）（計画したコマ数）
3/4
4/5
計画した時間の塊のうちいくつ実行できたかを確認
分母に計画したコマ数、分子に実行できたコマ数を書きとめる

A lesson from P.F. Drucker

人の時間を奪っていないか

自らが成果をあげるための仕事の仕方が、他の人の時間の大きな浪費につながっているケースもある。

『経営者の条件』……p. 61

同僚、上司、部下の時間についても、自らの時間と同じ意識をもたなければなりません。自らが時間泥棒になってはならないのです。時間の大切さについて、一人ひとりの意識と習慣が変われば、組織として大きな時間が生まれ、莫大な資源をもたらすことになります。

全員が一斉に取り組む仕組みをつくるのもいいでしょう。例えば、毎日一〇時から一二時の二時間は、原則として社内コミュニケーションを禁止して、相互に時間を分断しない工夫をする、などです。その間にかかってくる電話への対応は専任者に任せ、確保した時間を侵食されることのないよう徹底しましょう。こうして生まれた貴重な時間で、重要な仕事に取り組むわけです。その恩恵は、すべての人に返ってきます。

時間管理は一人ひとりで行うよりも、組織全体で行うほうがはるかに効果的です。各人の心がけはもちろん、チームや組織で行える工夫もどんどん提案していきましょう。

A lesson from P.F. Drucker

まとめた時間を守る

時間をまとめるための具体的な方法よりも、時間に対するアプローチのほうがはるかに重要である。

ほとんどの人は、二次的な仕事を後回しにすることによって自由な時間をつくろうとする。しかしそのようなアプローチではたいしたことはできない。心の中で、また実際のスケジュール調整の中で、重要でない貢献度の低い仕事に依然として優先権を与えてしまう。時間に対する新しい要求が出てくると、自由な時間や、そこでしようとしていた仕事のほうを犠牲にしてしまう。

苦労して手に入れた時間の塊を奪われてはなりません。無駄に使ってもいけません。塊の時間と細切れ時間の使い方にメリハリをつけましょう。

塊の時間を使う際は、予め用意を整えておきます。

例えば、一〇時から一二時まで塊の時間が確保できたとしたら、一〇時までに必要な連絡はすべて取り終え、片付けるべきものは片付け、必要なものはそろえておき、重要なことに集中できる態勢を整えます。そしていざ一〇時を迎えたら、雑念を取り払い、集中モードに意識を切り替え、一心に取り組むのです。

塊の時間こそが、黄金に輝く時間です。意義ある使い方ができるよう、細心の注意を払ってベストを尽くしましょう。

『経営者の条件』……p.74, p.75

A lesson from P.F. Drucker

定期点検を行う

常に、生産的でない仕事がこの確保済みの時間を蚕食してはいないかと目を光らせなければならない。（中略）
時間の管理は継続的に行わなければならない。継続的に時間の記録をとり、定期的に仕事の整理をしなければならない。

『経営者の条件』……p. 75

時間の使い方は、見えない力によって非生産的な方向に引っ張られています。かなり意

識しても、また習慣化してもなお、その〝引力〟はなくなりません。

時間の使い方が改善され、生産性が向上すればするほど、一年前には生産的だった活動も、いまとなっては非生産的となり、廃棄の対象となるはずです。

これは、望ましい姿でもあります。定期的な記録と振り返り、そして廃棄を繰り返すことで、成果があがるようになります。『経営者の条件』の章タイトル、「汝の時間を知れ」はまさに至言です。

ドラッカー教授自身は、毎年二回、一月と八月に、一週間から二週間の大きな時間の塊を確保していましたが、それは最も重要な問題に集中するためでした。過去一年を振り返り、非生産的になってしまった活動はないか、次の一年になされるべきことは何かを考えるのです。

定期点検を毎年繰り返すことで見えてくるものがある。教授はそう教えてくれます。

実践シート❶回答例

読書やセミナーなどの自己開発：２時間。本当は１日１時間確保したい。　（ＮＰＯスタッフ・女性）

クライアントが抱える課題の勉強：1時間。たまたま他の用事がキャンセルになって確保できたが、本来は事前に計画すべき。　（金融・営業職・男性）

新規事業計画を具体的にシミュレーションする：4時間。目前の仕事に時間をとられ、不十分だった。段取りし直して、もう一度時間を確保する。

若手社員のモチベーションを上げるためのコミュニケーション：６時間。おおむね予定どおり。

（経営幹部・男性）

新商品のブレスト：3時間。予定どおり。
従業員の面談：1人当たり30分以上。予定どおり。
市場調査、新規出店候補地の調査：今週はゼロ。非常に重要だがすぐに成果が出ないため、つい後回しになってしまう。　（起業家・店舗経営・女性）

実践シート❶

あなたにとって、緊急ではないが重要な活動や行動は何ですか。この１週間、そのためにどれだけ時間を確保しましたか（確保した時間が十分でなかった場合は、その理由も書いてください）。

hint

- 重要な活動とは、3か月から1年、時には3年以上のスパンで成し遂げる必要のあるもの
- いまから着手しなければ、達成できないもの
- 『実践するドラッカー［思考編］』p.236、および実践シート⑳参照

実践シート❷回答例

データ入力など作業レベルのものや、宴会の幹事など誰にでもできることは任せる人を見つけたほうがいいと思っている。（ＮＰＯスタッフ・女性）

イメージができていない準備不足の顧客訪問、目的意識が弱いまま参加するセミナーや勉強会は、やめるべき。（金融・営業職・男性）

受注・発注確定後の取引先との詳細な打ち合わせは部下に任せる。

不正防止を目的とした事務作業は、なくしてもよい方向にもっていく。（経営幹部・男性）

従業員が業務をきちんと行えているかの確認、店頭のデザイン、メニューづくりなど。現場の仕事は現場の人間で行えるようにする。（起業家・店舗経営・女性）

実践シート❷

あなたがやめること、もしくは人に任せることが望ましいと思う活動や行動を挙げてください。

hint

- いま任せられなくても、こんな人がいたら…という前提で考える
- 得意でないこと、強みやワークスタイルを生かしていないことなど
- 廃棄するものについては、『実践するドラッカー［思考編］』実践シート⑲参照

第2章

意思決定が未来をつくる

Lessons from P.F. Drucker a way of self-development

成果をあげるエグゼクティブを論ずるにあたって、意思決定は特別の扱いを受けるに値する。（中略）

エグゼクティブたる者は、いくつかの明確な要素と手順から構成される体系的なプロセスとして、それらの意思決定を行わなければならない。

（『経営者の条件』…………p. 154）

人は一日のうち大小さまざまな意思決定を下しています。朝一番で誰に電話をしようか。あの企画書はいつまでに仕上げようか。出社したらパソコンの電源を入れるといった無意識の習慣もありますが、それも最初のうちは意識して行っていたことです。

私たちの行動の始まりには、すべて意思決定があります。行動の質は、意思決定の質によって決まります。つまり、成果をあげるか否かは、ひとえに意思決定の質にかかっています。

それが「意思決定は特別の扱いを受けるに値する」理由です。意思決定の質を日々高めていくための心構えと手順を身につけましょう。

A lesson from P.F. Drucker

決定なくして明日はない

未来を築くためにまず初めになすべきことは、明日何をなすかを決めることではなく、明日をつくるために今日何をなすかを決めることである。

『創造する経営者』……… p. 230

理想の未来に向かってとるべき行動は、三つあります。

第一に、理想の未来を実際に描くこと。いつまでに何をするのか、という長期目標です。

夢やビジョン、なりたい自分、あるべき組織の姿を、必ず文字や絵で表現します。未来への架け橋を明確にするのです。

第二に、一歩踏み出すこと。今日、具体的な決定を行わないかぎり、どんな行動も起こせません。決めたとおりにいかないことはよくありますが、そのときは修正すればよいのです。

第三に、行動を検証すること。決めたことを全力で実行に移すのはもちろんですが、一方で、完璧に行えなかったからと悩み、足を止める必要はありません。ドラッカー教授は「計画の達成度は三割できれば上々」といいます。

未来に向かう出発点は、「いま、ここ」の一瞬しかありません。意思決定を明日に延ばす行為は、明日の自分の死を意味します。先が見えないからといって、逃げるわけにはいきません。明日のために、今日なすべきことを決めるのです。

コラム　意思決定を避けるリスク

ドラッカー教授は『断絶の時代』の中で、若者は他人に操られることを嫌がるが、それ以上に意思決定の責任を負うことを恐れている、と見抜きました。そして、意思決定を避けることが正しかった試しはないといいます。たいていの人が、数年経ってからその間違いに気づき、失った時間の大切さを嘆く羽目になるのです（ドラッカー教授は、失ったものが時間だけならまだ幸運なほうだと述べていますが……）。

操られるとは、他人の意思決定に従うことです。成果を出す人は自分で自分を操る、つまり自分の責任で意思決定し、行動しています。

意思決定を間違うことも、行動が不十分なときもありますが、失敗も含めて結果はすべて自分のもの。最後は必ず成功するという信念があれば、途中の失敗は貴重な体験であり、自分を磨き上げる絶好のチャンスなのです。最初から挑戦を避け、意思決定から逃れる行為は、みすみすチャンスを放棄しているようなものです。

ドラッカー教授の言葉に従って、機会を最大にすること、つまり、その意思決定によって何を得ることができるかを考えてください。

A lesson from P.F. Drucker

***

重要な決定に集中する

成果をあげる者は、さほど多くの決定は行わない。重要な決定に集中する。意思決定にかける時間を間違う者もいる。重要な決定に時間をかけずに、意味のない、しかも易しい決定に時間をかけている。

『非営利組織の経営』……p. 135

今日の商談は先週とったアポイントの結果であり、いま行っているクレーム対応は昨日の失敗の結果です。今日の行動、明日の予定は、過去の意思決定と行動によって引き起こ

されたことに埋め尽くされています。

しかも、決定したことのすべてを実行できるわけではありません。能力の問題というより、明日を生み出すために新しいことを行う時間がないのです。時間という最大の制約条件のもと、何を決定し、何を実行するかを考えることが重要です。

多くのことを決めたところで、そのどれもが中途半端に終わってしまうでしょう。現実には、最も重要なことを決め、実行するだけで精いっぱいです。

・この一年でやり遂げなければならない重要なこと
・この一か月でやり遂げなければならない重要なこと
・この一週間でやり遂げなければならない重要なこと
・今日やり遂げなければならない重要なこと

前章で学んだ時間管理を生かしつつ、明日をつくる行動に集中しましょう。

A lesson from P.F. Drucker

事実ではなく、意見から始める

意思決定についての文献のほとんどが、まず事実を探せという。だが、成果をあげる者は事実からはスタートできないことを知っている。誰もが自分の意見からスタートする。しかし、意見は未検証の仮説にすぎず、したがって現実に検証されなければならない。

『経営者の条件』……p. 192

意思決定は「意見からスタートせよ」というドラッカー教授の教えは、「事実からスター

トせよ」と説く一般的な指摘とは大きく異なります。

事実からスタートする人は、事実集めに奔走します。しかし、見る側面や評価の基準が違えば、認識される事実は違なるもの。現実は人の数だけ存在し、意思決定にとって意味ある情報とはなりません。

それまで事実だと信じられていたことが、実は仮説だったりすることはよくあります。世の常識や周知の法則も、その多くは仮説であり、確固たる事実や絶対的な正解はほとんどないと思ったほうがいいくらいです。

そんな現実の中で私たちが身につけなければならないのは、正しい答えを探そうとしない、という姿勢です。重要なのは、正しい問いを発し、検証すべき仮説を明らかにすることです。

A lesson from P.F. Drucker

三つのステップ

正しい決定は、共通の理解と、対立する意見、競合する選択肢をめぐる検討から生まれる。

『経営者の条件』……p. 192

正しい意思決定を行うには、三つのステップが必要です。
第一のステップは、「共通の理解」を得るためのもので、次の手順で行います。
①一般的な問題と例外的な問題に分類する

②正しい問いをもって、問題の根本を明確にする
③目的を明らかにして、意見の土台をつくる

第二のステップは、「対立する意見」を誘い出す環境をつくるために行います。
④関係者を巻き込む
⑤複数の選択肢を得る

第三のステップは、競合する選択肢の中から一つ選ぶことです。
⑥最善の解決策を選ぶ
⑦定期的にフィードバックを行い、成果を確認する

「共通の理解」には、特に細心の注意を払ってください。問題の理解には、人それぞれ、さまざまな解釈がありうるからです。土台のないところには何も築くことはできません。

ここに挙げたプロセスは、組織全体の了解事項となるまで徹底させましょう。正しい意思決定には正しい手順があるのです。

A lesson from P.F. Drucker

一般的な問題、例外的な問題

まず初めに、一般的な問題か例外的な問題か、何度も起こることか個別に対処すべき特殊なことかを問わなければならない。基本的な問題は、原則と手順を通じて解決しなければならない。これに対し例外的な問題は、状況に従い個別の問題として解決しなければならない。

『経営者の条件』……p. 165

問題は、一般的な問題と例外的な問題に分けることができ、両者の解決方法は大きく異

なります。

例外的な問題とは特殊なものであり、そうそう生じるものではありません。この種の問題には個別に対処し、解決します。

他方、一般的な問題は、次の三つに分けられます。

①自分にとっては例外的でも世の中では一般的な問題
②自分にとっても世の中でも一般的な問題
③新しい種類の一般的な問題

①②は基本的な問題であり、原則と手順で解決します。③も同様に解決すべき問題なのですが、他に例が少ないため、一見特殊な問題に見えるので、注意が必要です。

分類の目的は、解決法を限定し、その後の対応を効率的、効果的することにあります。問題を目にしたら、まず初めに分類することを習慣づけてください。

A lesson from P.F. Drucker

問題の根本を問う

問題が一般的なのか例外的なのかが明らかになれば、何についての問題か、何が問題か、何が問題解決のカギかを見つけやすくなる。ただし最大の危険は、問題を誤認することではなく、不十分なとらえ方しかしないことにある。

『P・F・ドラッカー経営論』……p. 232

問題のとらえ方が不十分だったり、誤ったりすれば、間違った意思決定が導かれます。

にもかかわらず、問題を明らかにするプロセスがおろそかにされがちです。

例えば、「職場にたびたび遅刻する」という問題を抱えた人がいたとします。「目覚まし時計を増やす」という解決策を安易に選ぶ前に、問題を根本から考えてください。

・何についての問題か……時間どおりに起きられないこと
・何が問題か……睡眠時間が少ないこと
・それはなぜか……遅くまでテレビゲームをしているため
・何が問題解決のカギか……二三時以降はゲームをしない

さらに突っ込んで考えれば、そもそも確保すべき睡眠時間は何時間か、代わりに廃棄すべきことは何かなど、意思決定のための材料が浮かんできます。

私たちはすぐに答えを求めがちです。ぐっとこらえて、問題の真の発生源に行き着くまで粘りましょう。その過程で、課題や真に効果的な解決策が見つかります。

A lesson from P.F. Drucker

***

目的を明らかにする

意思決定においては、決定の目的は何か、達成すべき目標は何か、満足させるべき必要条件は何かを明らかにしなければならない。

『経営者の条件』……p. 174

意思決定の目的は何か、何を実現しようとしているのか。目的を明らかにする際は、目的と目標を使い分けることが肝心です。目的は、行動するときの理由です。目標は、どのレベルまで行うかという到達点を示すものです。

例えば、お金を貯めるとしましょう。お金は何かを行うための手段ですから、まず何のための貯金か、目的を決めます。

来年の海外旅行の資金、将来の住宅取得の頭金などいろいろ考えられますが、海外旅行なら三〇万円、住宅資金なら一〇〇〇万円といったように、目的が決まって初めて目標が決まります。

必要な金額がわかれば、毎月の積立額など具体的な行動が見えてきます。「とりあえず一〇〇〇万円貯めよう」では、成果が出なくて当然です。

目的が不明確のままでは、目標も行動の仕方もはっきりせず、成果はあがりません。複雑な意思決定を迫られているときであればあるほど、この点を見失わないようにしてください。

A lesson from P.F. Drucker

関係者を巻き込む

意思決定の実行を効果的なものにするには、決定を実行するうえで何らかの行動を起こすべき者、逆にいえば決定の実行を妨げうる者全員を、決定前の議論の中に責任をもたせて参画させておかなければならない。

『マネジメント〈中〉』……p. 132

ドラッカー教授は、コンセンサスを得る形の日本流の意思決定を高く評価しています。

具体的には、意思決定に費やす時間は欧米より長いが、関係者を巻き込むため、実行までの時間が短いという点を評価しています。

組織は人で構成されており、意思決定の成否は、行動と成果に人々がどれだけ意志と責任をもって関わるかにかかっています。

成果をあげる唯一の方法は、あげるべき成果の形をはっきりさせ、必要な能力をもつ人たちを巻き込み、共有し、期日を決め、具体的な行動を開始することです。

決定後に関係者に売り込むのではなく、決定前に巻き込むことで、当事者としてやる気が刺激されます。他者を巻き込む能力は、一人ひとりの貢献を束ね、組織の成果に結びつける際に欠かせません。

適切な人を巻き込み最善の意思決定が行われれば、迅速な行動がなされ、いち早く成果を手にすることができます。

A lesson from P.F. Drucker

複数の選択肢を得る

反証がないかぎり、反対する者も知的で公正であると仮定する。明らかに間違った結論に達している者については、「自分とは異なる現実を見て、異なる問題に気づいているに違いない」「もしその意見が知的かつ合理的であるとするならば、彼はどのような現実を見ているか」と考えなければならない。

『マネジメント〈中〉』……p. 128

誰が何をいったかに価値はありません。意見に対する正否、当否を問う議論すら必要ありません。真摯な態度で述べられた意見は、一つの仮説として扱うべきだからです。

ドラッカー少年が八歳だった頃、クリスマスパーティーでの出来事です。闇で肉を仕入れたホテル経営者を非難する大人たちを尻目に、ドラッカー少年は、その男を擁護する反対意見を述べました。すると、ある大人はこう忠告しました。

「君のいうとおりかもしれない。しかし変わった意見であることは間違いない。だとすると、ちょっと気をつけたほうがいい」

ドラッカー教授は生涯この種の忠告に耳を貸すことなく、あらゆるものに透徹した眼を向けました。むしろ反対意見を歓迎し、よりよきものを導く方法としました。なぜなら、問題を多面的に見て本質をつかむことができるからです。他の人が、自分とは違うどんな現実を見ているのか、何に気がついているのかを明らかにすることが重要です。

より多くの目が、問題の本質を浮き彫りにしてくれます。新しい意味や評価基準が見つかれば、検討に値する貴重な選択肢が増えるでしょう。

反対意見を尊重する姿勢や文化をつくることは、大きな成果を手にする秘訣です。

コラム　ポストモダンの七つの作法

「この世はますます複雑になっていく。やがて人間の手に負えなくなるかもしれない」

ドラッカー教授はかつて、このように述べたことがあります。

モダン（近代合理主義）からポストモダン（脱近代合理主義）への移行を見通し、社会の本質、人間の本質を見抜いた教授だからこそ、このように感じられるのです。

それだけ複雑な世の中ですから、すべてを合理的に切って考えることは不可能です。理屈だけで説明のつくことばかりではありません。私たちの目に映るものはほんの一部であり、因果関係でものを見るのは危険です。

かといって、わかるまで待っているわけにはいきません。ですから、わかったものを大切にすることから始めましょう。

「すでに起こったこと」は結果として目の前にあるので、学びを得ることができます。また、他者の目から見た多様な現実を知ることも、同じような理由で欠かせません。

そこで、私たちがとるべき姿勢を「ポストモダンの七つの作法」として以下にまとめました（上田惇生著『ドラッカー入門――万人のための帝王学を求めて』）。複雑な時代の意思決定に役立ててください。

①見る、そして聞く

あらゆるものを命あるものとして全体を見ることが必要です。しかも、自分の視点で見るだけでなく、他人の視点で見たものについて広く聞くことです。事実ではなく、意見から始めることが重要なのはこのためです。

②わかったものを使う

複雑でわかりにくい時代だからこそ、わかったものは使わなければなりません。「すでに起こった未来」は、重要な示唆を含んでいます。現実を注意深く観察することで、これから大きなうねりとなるものを知る手がかりを得ることができます。「予期せぬ成功」も大事です。これもまた、すでにわかったものだからです。

③基本と原則を補助線として使う

すでにわかった基本と原則を大事にしましょう。例えば、経営の目的はつまるところ、世のため人のためです。大上段に構える必要はありませんが、忘れてはなりません。世のため人のためという基本を忘れると経営は失敗します。

④欠けたものを探す

わからないもの、未知なるものを知ろうとすることで、イノベーションが可能となります。ギャップのあるところ、欠けたところにチャンスは隠されています。

⑤自らを陳腐化させる

人の手になるものはすべて陳腐化します。いかに画期的な新製品であっても、世に出た瞬間に陳腐化が始まります。それは知識についてもいえることで、学んだ瞬間から陳腐化は始まっているのです。自ら先手を打って、自らを陳腐化させるのみ、です。

⑥仕掛けをつくる

何でも仕掛けをつくることです。例えば、ドラッカー教授はうまくいかなかったことの検討に時間を費やすのならば、うまくいったことの検討に同じ時間を使います。それが成果をあげる秘訣です。

⑦モダンの手法を使う

モダンの合理的な手法を完全否定するのも間違いです。時間管理のように、分解して組み立て直すというモダンの手法も、使えるものはおおいに使いましょう。

A lesson from
P.F.
Drucker

最善の解決策を選ぶ

意思決定は本当に必要かを自問する必要がある。何も決定しないという代替案が常に存在する。（中略）よい外科医が不要な手術を行わないように、不要な決定を行ってはならない。

『経営者の条件』……p. 205

反対意見は組織の中にこびりついた固定観念を揺さぶり、想像力を刺激し、選択肢を広げてくれます。豊富な選択肢を十分に吟味し、最善の一つに絞り込んでいく際に気をつけ

るべきは、以下の三つです。

・満たすべき必要条件を吟味する
・選択肢はすべて検討し、得られるものと付随するリスクをすべて天秤にかける
・優先順位と劣後順位を考え、何を行うべきかを明らかにする

大切なのは、機会の最大化を第一に考えることです。リスクは避けるべきものではなく、コントロールすべきものです。

そのうえで、最後にもう一度考えましょう。その意思決定は、本当に必要でしょうか。何もしなければ事態が悪化してしまうのなら、あるいは、急がなければ機会が消滅してしまうのなら、ただちに決定し、行動を起こさなければなりません。

しかし、放っておいてもたいした問題が起きそうもないのであれば、手をつけないほうがよいこともあります。不適切な決定は、組織を混乱に陥れます。もちろん、たいした理由もなく決定を先延ばしにするのは論外です。

A lesson from P.F. Drucker

フィードバックを行う

決定の基礎となった仮定を現実に照らして継続的に検証していくために、決定そのものの中にフィードバックを講じておかなければならない。

決定を行うのは人である。人は間違いを犯す。最善を尽くしたとしても必ずしも最高の決定を行えるわけではない、最善の決定といえども間違っている可能性はある。そのうえ大きな成果をあげた決定もやがては陳腐化する。

『経営者の条件』……p. 185, p. 186

成果をあげるためには、意思決定の質を日々向上させる必要があります。フィードバックを行う仕組みを、意思決定の中に織り込んでください。

具体的には、次のポイントがあります。

・決定したことを書きとめておく
・行動の結果を振り返る
・事前に期待した成果と、事後の成果を比較する
・そこから行動を修正するための情報を得る
・次の行動に反映させる
・決定と成果の傾向を把握する

ドラッカー教授は、何かを始めるときや意思決定を下すときは、決めたこと、そしてど

んな結果を期待するのかを必ず書きとめておくこと、と述べています。

教授自身も、次の一年で何をなすべきかを決める際、必ず決めたことを文書で残し、数か月は触れないようにするということです。しばらく寝かせてから見ると、新たな発見があるからです。

次に、行動によって得られた結果を確認します。果たして、どのような成果が出たでしょうか。振り返ってみてください。その際、書きとめておいた事前の期待と、実際の成果を比較します。

こうして得られたことは確実に次のサイクルに反映すること、そして次なる意思決定についても、このサイクルを回すことを忘れないでください。

ドラッカー教授は、あらゆる決定についてフィードバック分析を行っていますが、三〇年続けていてもなお、驚くことがあるそうです。自分の行動や考えの中で、最善と思ったことがうまくいっておらず、一方で、ほとんど注意を払っていなかったものが素晴らしい成果につながっていることが明らかになるからです。

そうして比較検討を行いながら、成果の達成度、行動の質や量などの情報を洗い出していきます。そのうえで、修正すべきことを明らかにします。これが次の行動に生かすべき改善点です。

せっかく得た貴重な情報も、実際に使わなければ意味がありません。思いつきや勢いに任せるのではなく、予め、一定期間ごとに決定と行動を修正する仕組みをつくっておくことが大切です。

環境は刻一刻と変化します。当初の設定の間違いが発覚したり、前提条件の変化に気づいたりしたとき、柔軟に行動を変え、場合によっては実行を中止できるかどうか。これは、意思決定の死活問題ともなります。

フィードバックは意思決定の質を向上させるのみならず、重大な危機を回避する点でも有用です。

A lesson from P.F. Drucker

決める勇気

決定を行う準備は整った。（中略）ここにおいて、何を行うべきかは明らかである。決定はほぼ完了した。しかし、まさに決定の多くが行方不明になるのが、このときである。（中略）決定を延ばしすぎてはならない。数日、せいぜい数週間までである。

『プロフェッショナルの条件』……p. 167, p. 168

淡々と意見を出し、ある基準で選び、関わる人を決め、行動に移す。感情に揺さぶられ

ない技術的なプロセス、それが意思決定です。

しかし、最後の「決める」段階にいたって、心理が大きく影響します。なぜなら予測不能な未来に貴重な資源を投下するという、大きなリスクが伴うからです。

この期に及んで何か心に引っかかることがあれば、原因を調べてみるべきでしょう。しかし、ただ分析だけを続けていても答えは出ません。決定を引き延ばすのは数日、長くとも数週間が限度です。

必要なのは、勇気です。基準は「いま何が一番重要なのか」に尽きます。意思決定とは、他を切り捨て、最も重要なことに集中する勇気です（『実践するドラッカー［思考編］』第5章参照）。

言い換えれば、意思決定の技術とは、集中の技術でもあります。ドラッカー教授いわく、「集中こそが成果をあげる最高の秘訣」です。

実践シート❸回答例

お客様との円滑なコミュニケーション。会合も安定してくるとマンネリ化してしまうので、いかに新鮮味を取り入れるかが課題。（ＮＰＯスタッフ・女性）

メンバー全員が成果をあげるチーム・マネジメントのノウハウを構築する。（金融・営業職・男性）

既存事業の収益力を上げる。
幹部社員と「理念と現実」に関する認識を共有する。
部門間の連携を強める。（経営幹部・男性）

権限委譲を進めて業務の集中状態を改善し、健康を提供する企業にふさわしい健康な状態を自分の身をもって体現する。（起業家・店舗経営・女性）

実践シート❸

あなたがいま、解決したい問題や課題を挙げてください。

hint

- それは真の問題かどうか。環境変化など直接解決できないものは解決すべき真の問題ではない
- その問題を課題にできるかどうか。課題とは、問題解決の方法があるもの

実践シート❹回答例

この組織に関わるすべての人の気持ちを明るく豊かにすること。
地域の「元気発信源」になること。

（ＮＰＯスタッフ・女性）

クライアント、オーナー経営者の事業承継・相続事前対策の相談で、真っ先に名前の挙がるチームとなる。

（金融・営業職・男性）

社員の報酬２割アップ、労働時間の２割削減。
お客さんから「おたくがあってよかった」、従業員から「ここで働いてよかった」といわれること。
新規事業へのチャレンジ。

（経営幹部・男性）

女性が生涯を通していきいきと働ける職場をつくる。
食を通じて人々の心身の健康を管理する仕事をつくる。

（起業家・店舗経営・女性）

実践シート❹

仕事を通じて叶えたい目標や夢を挙げてください。

hint

- 現状の延長線上ではなく、独自性や新しさをもたらすものになっているか
- その目標や夢を叶えるにふさわしい機会は得られるか

第3章

目標が成長を促す

Lessons from P.F. Drucker a way of self-development

目標なるものは鉄道の時刻表ではない。それは航海のための羅針盤である。それは目的地にいたる航路を指し示す。

（『現代の経営〈上〉』……p. 80）

経営にも人生にも、鉄道と同じように到着地がありますが、決められたレールの上を走るのではないというところが最大の違いです。むしろ航海と似ていて、嵐を避けて航路を変更し、濃霧では慎重に速度を落とし、環境に柔軟に対応しながら到着地を目指します。

しかし、変化が続けば進むべき方向を見失うこともあるでしょう。そこで必要なのが、羅針盤です。目標は経営や人生の羅針盤に当たる道具であり、目的地にたどり着けるかどうかは、この道具を使いこなせるかどうかにかかっています。

目標は、さまざまな状況下で私たち自身を牽引するものです。自己目標管理を身につけ、自らの成長を促しましょう。

A lesson from P.F. Drucker

目標は自ら管理する

自己目標管理を採用している組織は多い。しかし、真の自己目標管理を伴う自己目標管理を実現しているところは少ない。自己目標管理は、スローガン、手法、方針に終わってはならない。原則としなければならない。

『マネジメント〈中〉』……p. 86

教授が常々述べているように、知識労働者は第三者が管理、監督することはできません。

知識や意欲など、目に見えないものを源泉に成果をあげるからです。自己目標管理もまた、自ら考え、行動し、修正し、完結するより他はないのです。

目標管理は、支配による管理から、自らの動機に基づく管理に転換すべきだというのが、ドラッカー教授の考えです。これこそ、ＭＢＯ（Management by Objectives and Self-control）の真髄なのです。

組織や上に立つ者が目標を与え、その達成を管理するのではありませんし、ましてや、目標を支配の道具に使ってはなりません。マネジメントとは、組織と個人の目標のベクトルを合わせ、一人ひとりに貢献を促し、束ね、成果をあげることだからです。

A lesson from P.F. Drucker

認められたいという欲求

自己目標管理は、人間というものが責任、貢献、自己実現を欲する存在であると前提する。

『マネジメント〈中〉』……p. 86

そもそも自己目標管理は、人の働く動機に深く根ざした道具です。一般に人は、社会の中で承認されることを欲しています。なぜなら、自分の理想的な姿は社会との関わりで描かれ、その姿とどれほど乖離しているかを常に気にしているからで

す。それゆえに、自己評価は、他人の基準でどう見られているかに大きく左右されます。その意味で、どれだけ組織の中で貢献と責任を果たしたかは、他者からの承認に関わる重要な要素といえます。

一人ひとりの貢献の糸が縦横に織り成して一枚の布、つまり組織の成果ができあがります。誰かの糸が短かったり弱かったりすれば、満足な布はできません。いい加減な貢献は組織の成果を小さくします。

目標は、貢献の具体的な姿、つまり到達点を示すものです。自ら設定した目標をもって貢献することで、組織の中で責任を果たし、成果をもたらすのです。それがひいては、他者から認められることにつながり、自分自身を満たすものとなります。

A lesson from P.F. Drucker

人は目標達成を好む

人の本性は、最低ではなく最高の仕事ぶりを目標とすることを要求する。

『現代の経営〈下〉』……p. 108

人の脳には、目標達成を「快」と感じる機能が備わっているといわれます。しかも、目標達成をイメージすることまでも「快」とするのです。人は目標達成を好む動物だということです。

人には自己称賛と呼ばれる性質があり、自分をよく思うことを好みます。達成感や使命感の充足、自己実現などと同種のものです。また、他者に注目されたい、よい評判を得たい、受け入れられたいと願う承認欲求もあります。

これらはすべて、他人の評価を自分がどう思うかで決まります。いくら人並み以上の評価を他人がしてくれても、本人が最高の評価を期待していれば、認められていないと考えるのです。したがって、目標に到達したと自分で判断できるよう、期待レベルを事前に明確にしておくことは、とても重要です。

自ら設定した目標を達成すると、充実感や達成感が生まれます。それが自信につながり、次なる挑戦を促します。もっとたくさん、もっと速く、もっとよく……自ら設定する目標に限界はありません。人は常に挑戦的な、最高の目標を欲します。

私たちがもっている内なるメカニズムをうまく利用して、自身の成長を促しましょう。

A lesson from P.F. Drucker

***

到達点は、最初の設定次第

基準は高く設定する必要がある。（中略）基準を低くスタートすれば、やがて高くなるということは決してない。「ゆっくり」と「低い」は意味が違う。（中略）

その基準は高く、目標は野心的でなければならない。しかし達成可能でなければならない。少なくとも相応の能力のある者には達成できるものでなければならない。

『非営利組織の経営』……p. 131, p. 133

一〇〇〇メートルの山を目指した人が、気づいたら富士山の頂上にいたなんてことはありえません。到達できる高さは、最初の設定によって決まります。オリンピックで金メダルを取る、甲子園で優勝する、どちらも初めにそう決めたからこそ、実現できたわけです。

挑戦的な目標が自己の成長を促します。生産性の目標を「毎年一〇％上げる」と設定するのと、「三倍にする」のでは、発想や工夫の幅がまるで異なります。既存の手段の延長線ではなく、思い切りストレッチして考えれば、新たな手段を思いつきます。

挑戦目標の最高峰は「完全を求める」ことでしょう。生涯手の届かないものであることは明らかですが、そのことを理解してなお、完全を目指す人がいます。作曲家のヴェルディがそうであり、彼の言葉に触発されたドラッカー教授がそうでした。

完全という基準の前では、常に自己反省する機会が生まれます。ドラッカー教授は「知的傲慢」、もう十分だという心の状態を戒める言葉をよく口にしますが、「まだまだ」「次こそは」という姿勢こそが、成長の原動力です。

教授いわく、目標とビジョンを追求することは、老いることなく成熟するコツです。

コラム　あきらめなければ実現する

「優れたアイデアといえども、そのほとんどは大きな成果をもたらさない。それどころか、はるかに多くが失敗する。だから狙いを高くしなければならない。一つの大きな成功が九つの失敗を補わなければならない」

ドラッカー教授は、最高を目指さなければならないことの理由をこう述べています。

これはイノベーションや事業に限らず、個人についても同じです。国内で勝ち抜いて、オリンピックの舞台に立てても、表彰台に上がれるわけではありません。しかし、最初から金メダルを目指さなければ取れないことはたしかです。

ファーストリテイリングの柳井正会長兼社長は、もっと理想をもって自分に期待するよう、強く勧めています。たとえ最初はできなくても、「こうなりたい、こうできるようになりたい」という目標をもって最後まであきらめなければいつか実現する、ということです。

高い目標を掲げるには、目線を高くしてくれる機会を探すことが一番です。

P&Gのアラン・ラフリー、インテルのアンディ・グローヴ、マイクロソフトのビル・ゲイツ、ゼネラル・エレトリック（GE）のジャック・ウェルチ、リーダーシップ論の大家ウォレン・ベニスといった有名人から、実際にコンサルティングを受けた経営者、授業を受けた受講生まで、ドラッカー教授に出会った人々はみな、「目線を高くしてくれた」といいます。

ドラッカー教授にもはや会えないことは残念ですが、本を読むだけでも弟子入りはできます。線を引きながら読めば、思考を刺激されることは間違いありません。そしてさまざまな経験を積めば積むほど、教授のいうことがより深く響くようになります。

A lesson from P.F. Drucker

目標の決め方

目標は、自らの属する部門への貢献によって規定しなければならない。

『マネジメント〈中〉』……p. 81

仕事の目標は、勝手には決められません。目標を立てるには、組織が成果をあげるために自分がなすべきことは何か、果たすべき貢献を明確にするプロセスが必要です。第一に、組織の成果を確認することです。最初に問うべきは次の二つです。

・顧客は誰か
・その顧客が求める価値は何か

これらに対する答えが見えて初めて、次の問いが可能となります。

・われわれの成果は何か

どのような顧客に対し、何をどれくらい提供するのか、売上高は、利益は……具体的な成果の基準が、組織の目標になります。

第二に、それらの目標を実現するために自分ができる貢献を徹底的に考えることです。ここで重要なのが、自らの強みやワークスタイルを生かすことです（『実践するドラッカー［思考編］』第4章参照）。自分がもっていないもので貢献することはできません。いつ誰に、どんな貢献をするのか、これが個人の目標の基礎になります。

こうして二つの目標が同一線上に並んだとき、組織の成長と個人の成長が実現します。

A lesson from P.F. Drucker

「唯一正しい目標」はない

今日、目標管理すなわち目標によるマネジメントについての議論のほとんどが、「唯一正しい目標」を探求するものである。しかしそれは、賢者の石を探し求めるように空しいだけではない。明らかに毒をなし、誤って人を導く。

『現代の経営〈上〉』……p. 82

事業の目標は一つではありません。今期設定した利益目標が、人材育成という長期目標

と相反することはよくあります。組織は長期にわたって社会的役割を果たすことが目的であり、そのためには今期の利益も人材育成も必要です。

実際ドラッカー教授は、マーケティング、イノベーション、生産性、人的資源など複数の必要な目標を挙げ、そのバランスをとることの重要性を強調しました。

私たち個人の目標もまた長期短期のバランスをとる必要があり、さらには、健康や家族など、仕事以外も考慮しなければなりません。

目標は相互に作用します。どれかに偏ることは、全体のバランスを崩し、目的の達成を著しく妨げます。複数の目標を立てる際は、次の基準が参考になります。

・その目標は、なすべきことを明らかにしているか
・その目標から、いかになすべきかを導き出せるか
・その目標は、諸々の意思決定の妥当性を明らかにできるか
・その目標は、なすべきことをなしたか否かの判断を下せる形式になっているか
・その目標から、活動の改善方法を明らかにできるか

コラム　目標間のバランスをとる

目標間のバランスをとることは大切ですが、その前に確認すべきことは短期と長期の「調和」だとドラッカー教授はいいます。短期目標を達成するための行動が、そのまま長期目標達成の手段となっていれば、両者は調和していることになり、好ましい状況だといえます。

しかし多くの場合、短期と長期は、一方を追求すれば他方を犠牲にせざるをえないというトレードオフの関係にあります。そこで、どのようにバランスをとるかが重要になってくるのです。

個人の例で考えてみましょう。

私たちが成果をあげるためにもっている二大資源は、時間と能力です。仮に、現在もっている能力を使って、いま時点であげることができる成果を一〇とします。これを将来二〇にするには、短期目標を達成するための行動に費やす時間を、長期目標を達成するための行動に振り向けなければなりません。

その結果、短期目標については、成果は八で我慢することになるかもしれません。なぜなら将来の成果に備え、能力の増強に力点を置かなければならないからです。その代わりに、五年後に二〇の成果を出せるようになっていればよいわけです。

A lesson from P.F. Drucker

＊＊＊

測定基準を決める

目標設定の難しさは、いかなる目標が必要かを決定することにあるのではない。いかに目標を設定すべきかを決定することにある。この決定を実りあるものにする方法は一つしかない。（中略）測定すべきものを決定し、その測定尺度とすべきものを決定することである。（中略）目標が目に見える具体的なものになる。

『現代の経営〈上〉』……p. 86

今年のあなたの目標は、と聞かれたとき、何と答えますか。例えば、「本をたくさん読む」では、目標設定の仕方としては、不十分です。

目標は、一定期間が経過した時点で、○×がはっきりつくものでなければなりません。「毎月本を五冊読む」といった具合です。目標が測定可能であることは、不可欠の条件なのです。一年を終えて達成できたかどうかを知ることができなければ、その一年が無駄になってしまいます。

しかし残念ながら、個人はおろか、企業から国家にいたるまで、目標は曖昧に立てられているのが現実です。

もう一つ大切なのは、インプット系の目標とアウトプット系の目標があるということです。例えば、「毎日五〇回腹筋する」のはインプット系の行動目標で、「ウエストを三センチ絞る」はアウトプット系の結果目標です。

目標は鮮明化させればさせるほど達成の可能性が上がります。「ウエストを三センチ絞る」を「一インチ下のジーンズをはく」とすれば、イメージがはっきりして、やる気はさらに出るでしょう。

測定基準の設定次第で、実現の可能性が高まるのです。

コラム　一位か二位、さもなくば撤退

ＧＥの歴代のＣＥＯは、ドラッカー教授にコンサルティングを依頼していました。

ジャック・ウェルチ元ＣＥＯもそうです。あの有名な「世界で一位か二位、さもなくば撤退」は、ドラッカー教授のアドバイスから生み出されました。

教授はウェルチに対し、「もしまだ手がけていなかったとして、今日その事業を始めるか」「もしノーであるならば、どうするか」を考えるよう促しました。

そしてこう問いかけたそうです。

・ＧＥが心底本気で取り組めないものは、どこか他の企業に任せられないか

要するに、ＧＥとして卓越性のないもの、本気になれないものは、実力とやる気のあるところとパートナーシップを組むべきということでした。コスト削減のためのアウトソーシングとはまったく別物で、あくまで顧客から見てベストは何

かということです。

そうしてウェルチは「世界で一位か二位、さもなくば撤退」という考えにたどり着き、これを目標管理の中核に埋め込むことで、事業に携わる人々の目線を上げ、やる気を鼓舞したのです。こうして一九八一年から二〇〇一年までのCEO在任中、GEは長きにわたって高い成長を続けました。

これらの問いは、企業の戦略だけでなく、個人にも応用ができます。

本気で取り組んでもさほど成果のあがらないものだとしたら、他の人の力を借りるか、別の目標を立てることを考えてください。自分の知識や強みを発揮できるほうが、実現の可能性がぐんと上がることは明らかです。結果として貢献も大きくなり、自己実現の充実感も高まるはずです。

A lesson from P.F. Drucker

組織から見た情報を得る

自らの仕事ぶりを管理するには、自らの目標を知っているだけでは十分でない。目標に照らして、自らの仕事ぶりと成果を評価できなければならない。（中略）

あらゆる者が自らの仕事ぶりを測定するための情報を手にすることが不可欠である。

『マネジメント〈中〉』……… p. 84

一人ひとりの貢献は、組織の成果から見れば部分にすぎません。そのため、貢献度を直接測ることはなかなか難しいのが現実です。

自らの貢献を評価するには、「直接の成果」「価値への取り組み」「人材の育成」の三つの領域からなる組織の成果を理解していなければなりません（『実践するドラッカー［思考編］』九九ページ参照）。成果の定義を明確にしなければ、貢献の測定はできません。

ある会員制フィットネスクラブを例に考えてみましょう。

年初に新規会員を一〇〇〇人獲得するという組織目標を立てたとします。これを受けて、マネジャーは三〇〇人の会員獲得を個人目標に掲げ、「初めて来店した顧客から住所などの情報を得て、次回来店を促す手書きの案内状を毎日一〇通出す」ことにしました。

この場合、どのような情報があれば、マネジャーは適切な自己評価を行えるでしょうか。

まず、組織の成果を確認します。新規会員は何人獲得できたのか、それはどのような顧客層か、どのように獲得したのかなど、組織全体に関わる具体的な情報を入手します。

次に、自分の行動に関わる情報を把握します。先のマネジャーの行動は、「顧客から住所などの情報を得る」「魅力的な案内状を送る」「持参してもらった案内状を店頭で回収する」「新規会員の申し込みをしてもらう」といった要素に分けられますが、これらの行動を客観的に検証できるような具体的な情報を入手するのです。

例えば、「案内状の回収率」「案内状を持参した来店者の会員化率」などは、案内状の文章やビジュアル、勧誘トークなどの行動に対する結果を示す一つのモノサシです。このように、自分の行動を評価できるような情報を意識して集めましょう。客観的に評価できれば、次に何を改善すべきかも見えてきます。

組織と自分の仕事（貢献）のつながりを意識して的確な自己評価を行い、自身の行動と結果に責任をもつ。これは成果をあげる人すべてに共通する特徴です。

MEMO

実践シート❺回答例

人の話を聞く、丁寧に対応するといった強みを伸ばして、5年後は全国の主要都市にお客様を広げ、人と人をつなげる媒介役となっていたい。

（NPOスタッフ・女性）

自分がよいと思ったことを、勉強会やセミナーなどで広げていくことが得意。5年後には、漠然とした悩みを抱え、対策に踏み込めていない経営者に、セミナーや講演活動を通じて初めの一歩を踏む出すきっかけを提供したい。

（金融・営業職・男性）

得意分野：理念と現実のバランスをとる判断力。語りかける力。人の長所や強みに視点を置いて我慢できること。
5年後の理想：幹部社員全員と「理念と現実」を共有して語り合えるようになり、自分も彼らからエネルギーをもらって生き生きとチャレンジしていること。

（経営幹部・男性）

健康管理に関する知識、コミュニケーション力、共感力を生かし、当店が顧客にとって単に食事をとる場所ではなく、健康管理に必要な場、コミュニティとなっていること。　（起業家・店舗経営・女性）

実践シート❺

自分の強みや得意分野を軸とした、５年後の理想の姿を書いてください。

hint

- 卓越したい分野は何か
- 卓越性を得たとき、自分自身にどんなキャッチフレーズがつくか
- 『実践するドラッカー［思考編］』p.57 および実践シート⑦参照

実践シート❻回答例

他都市に学びの場を広げる。
お客様の悩み事など、多様な情報を吸い上げる。
（ＮＰＯスタッフ・女性）

社内外を問わず、成果をあげることを目指すセミナーや講演活動を全国規模に広げる。主要都市５か所の開催が目標。（金融・営業職・男性）

向こう10年、経営資源を集中できる新規事業を立ち上げる。
従業員の「学びの場」を仕組みとして根づかせる。
（経営幹部・男性）

健康管理の知識が豊富で実践に長けた社員を育てる仕組みをつくる。
調理や食材、食養生などの各種研修・教育体制を充実させる。（起業家・店舗経営・女性）

実践シート❻

組織の成果とあなた自身の貢献を確認し、5年後の理想とする貢献の範囲やレベルを具体的に書いてください。

hint

- なすべき貢献は何か
- 現状に縛られて目標水準を下げたり、範囲を狭めたりしないよう気をつける
- 『実践するドラッカー［思考編］』p.99、p.110、および実践シート⑫参照

実践シート❼回答例

今年：顧客接点を大切にし、お客様一人ひとりの想いを吸い上げ、自分に何ができるかを考える。

（ＮＰＯスタッフ・女性）

今年:「オーナー経営者のための事業承継・相続事前対策」をテーマとした講演を10回以上開催する。

（金融・営業職・男性）

今月:従業員の「学びの場」を一部門でテスト開催する。
今年：具体的な新規事業プランをプレゼン可能な状態につくり上げる。

（経営幹部・男性）

今週：社内での週１回の勉強会の質を上げる。

（起業家・店舗経営・女性）

実践シート❼

実践シート⑤⑥の回答を前提に、今年・今月・今週、集中して取り組む目標を一つ挙げてください。

hint

- 測定可能な形で具体的に目標化する
- 長期の理想を明日のアクションに変える

第4章

計画が実現性を高める

Lessons from P.F. Drucker
a way of self-development

いかなる知識といえども行動に転化しないかぎり無用の存在である。しかし行動の前には計画しなければならない。望むべき結果、予想される障害、必要となる修正、チェックポイント、時間管理上の意味合いを考えなければならない。

（『経営者の条件』……p. 5, p. 6）

計画とは、知識を成果に変えるための道筋として、「いつまでに」「誰が」「何を行うか」を決めることです。

「誰」は知識の所有者、「何を」は知識や能力そのものを表します。例えば、月末までに「企画書のたたき台をつくる」というアクションプランは、企画書を作成する人、その人が必要な知識や能力をもっていることを前提とします。

組織の計画しかり、個人の計画しかり。有意義な計画とは何かを考えていきましょう。

A lesson from P.F. Drucker

計画が行動を呼ぶ

計画において重要なことは、明日何を行うかを考えることではない。明日のために今日何を行うかを考えることである。（中略）われわれは、明日行う意思決定について計画しがちである。楽しいかもしれないが無益である。意思決定は現在においてしか行えない。

『マネジメント〈上〉』……p. 156

ほとんどの人が計画を立てていません。計画はスケジュール管理とはまったく違うもの

です。夢や目標を達成するために今日何をしなければならないかという観点から、どのように時間を使うかを事前に決める行為こそが計画です。

手帳を開いて、明日の欄を見てみましょう。一〇時から一一時三〇分まで「クライアントのA社訪問」、一五時から一七時まで「営業会議」と書かれていたとします。しかしこれらはスケジュールの羅列にすぎません。スケジュール管理ならば、第三者でもできますが、計画は自分にしか立てられないのです。

少なくとも週の始まりには、その一週間、何時から何時まで、どのように時間を使うか、書きとめておくべきでしょう。水曜の一三時から一四時三〇分は来月の企画会議の原案づくり、二〇時から二二時は〇〇の読書など、具体的であればあるほどよいのです。

計画とは、未来の重要なことに取り組むための時間を確保するためのものです。事前に決めておかなかったことをスイスイできる人はほとんどいません。途中で予定変更を余儀なくされることがあったとしても、計画は立てるべきです。

一か月、一年、五年など、期間が長い場合も同じです。手帳は有用な手段です。一か月先、一年先に行うことを、今日決めて記入しましょう。その行為が行動を引き出し、その先の成果へと導いてくれます。

A lesson from P.F. Drucker

行動を具体的に決める

決定は最初の段階から行動への取り組みをその中に組み込んでおかなければ成果はあがらない。

『経営者の条件』……p. 181

計画と称して目標しか示さないことがあります。しかも、目標が数字だけのこともあります。しかし、成果は行動によってしか得られません。数値目標であれ何であれ、すべての計画は、行動を前提につくらなければならないのです。計画がアクションプランと表現

されるのは、そのためです。

アクションプランに必要な要素は、いつまでに誰が何を行うか、それらを誰が知っていなければならないかを決めておくことです。各人がすべきことをわかっていて、明日の朝から指示がなくとも始められるというのが、優れたアクションプランです。

個人においても同様です。与えられたものや自分で立てたものなど、目標はいろいろありますが、その多くは数日で達成できるものではありません。小さな行動を積み重ねるしか、方法はありません。つまり、小さな行動を明らかにして、そのための時間を確保することが計画の肝です。

例えば、新しいスキルを身につけるためにセミナーに参加する、一週間を振り返るなど、手帳の空いた時間に行動を書き入れてください。行動を最初に組み込んでおくことで、その計画は当然すべきものだという意識を自分自身に染み込ませるのです。

小さな行動を積み重ね、一歩一歩、確実に目標に近づいていきましょう。

コラム　ミス・エルザのワークブック

ドラッカー教授は、計画することの大切さを小学校時代の恩師、エルザ先生から学びました。題して、「ミス・エルザのワークブック」です。

このワークブックは、次のようなシンプルなものでした。

・毎月一冊、ノートを用意する
・作文、算数、習字など、学ぶべきこと一つひとつについて、それぞれページを割り当てる
・週始めに、各項目について、具体的にやるべきことを書く
・週末に、実際に何をどのように行ったか結果を振り返り、記入する
・次週のやるべきことを具体的に書く

ドラッカー少年は毎週、エルザ先生から目標設定と計画のアドバイスをもらい、二人三脚で課題の検討を行ったそうです。

結果をきちんと振り返ることで、目標と現実のギャップが明らかになり、改善点が見えてきます。目標を達成できたときも、その過程を復習することができます。いずれにしても、次に何をすべきか、何を生かすべきかの大きなヒントとなるのです。

具体的な行動を計画し、それを実行することで成果はますますあがりやすくなります。ドラッカー少年はそのことを身をもって学び、生涯の習慣としました。

A lesson from P.F. Drucker

計画には修正がつきもの

アクションプランなくしては、すべてが成り行き任せとなる。途中でアクションプランをチェックすることなくしては、成り行きの中で意味のあるものとないものとを見分けることすらできなくなる。

『経営者の条件』……p.7

方向がずれているのに、軌道修正をしないまま行動し続けることは、時間や労力の大いなる無駄となります。

行動を修正する唯一の方法が、アクションプランのチェックです。アクションプランは一種の仮説の集合体であり、実践によって質と量を検証します。

・質……成果はあがったか、そもそも成果のあがらない行動ではないか
・量……時間や行動範囲など、量は足りているか

行動の修正は、詰まるところ、「やめる」「始める」「減らす」「増やす」の四種類しかありません。一日、一週間、一か月単位で量と質をチェックすれば、やめるべきこと、増やすべきことなどが見えてきます。

成果は、行動を管理できたかどうかにかかっています。

A lesson from P.F. Drucker

必ず期限を決める

あげるべき成果を誰かが責任をもつべき仕事としなければならない。そしてこの仕事の割り当てが意味をもつためには期限を定めなければならない。期限のない仕事は割り当てられた仕事ではなく、もてあそばれる仕事にすぎない。

『創造する経営者』……p. 293

期限がなければ、計画とはいえません。計画の本質は、約束（コミットメント）です。

自分との約束、人との約束、いずれにしても「いつまでに」「誰が」「何を行うか」を約束することなしには、計画自体が無意味となります。

期限のない仕事は、実際に行動を起こさなくても許されてしまいます。それでは、いつまで経っても成果はあがりません。

資格取得試験ならば、いつ合格したいかを決め、そこから逆算して計画を立てます。働きながらの受験勉強となると、一日に使える時間の量はせいぜい二時間程度でしょう。現在の自分の知識レベルから見てどれくらいの勉強時間が必要かを想定し、いつまでに何をすべきか、期限を区切ってアクションプランを立てるという具合です。

どんな行動にも、時間という貴重な資源が必要です。計画には、時間配分を必ず織り込んでください。

A lesson from P.F. Drucker

時間配分に気をつける

アクションプランは時間管理の基準としても必要である。（中略）あらゆる組織に時間を無駄にする要因がある。そのような状況において、時間の使い方の目途となるものがアクションプランである。

『経営者の条件』……p.7

アクションプランには、時間配分の計画という一面があります。

「いつまでに」「誰が」「何を行うか」の「いつまでに」はもちろんのこと、「誰が」「何を行うか」は、人の知識や能力に応じてかかる時間が違うことを示しています。入社一年目の社員と五年目の社員では明らかに異なるでしょうし、同じ人でも得意なことと不得手なことでは差が出るはずです。また、計画当初に時間を少なめに見積もってしまうと、期待した成果にはとうてい届きません。

そもそも、計画が順調にいくことは稀です。不意のアクシデント、長引く会議など、予期せぬ時間泥棒の邪魔が入るものです。それらの要因を排除することも大切ですが、遅れに対しても、きちんと手を打っていかなければなりません。例えば、人数を増やすなど新たな資源を投入する、期限を再度調整する、場合によっては成果のレベルを調整する必要も出てくるかもしれません。

アクションプランとは、行動そのものを計画し管理する道具ですが、同時に、時間を管理する燃料計でもあります。

A lesson from P.F. Drucker

機会をつかむ準備をしておく

アクションプランとは意図であって、絶対の約束ではない。（中略）一つひとつの成功が新しい機会をもたらし、一つひとつの失敗が新しい機会をもたらすがゆえに、頻繁に修正していくべきものである。

『経営者の条件』……p. 6

何か行動を起こすと、状況が変わります。変化は機会を呼びます。その時がプランを変える時です。

ビジネスを含め人生で起こる多くのことは、誰か、もしくは何かとの縁で引き起こされます。友人や同僚、お客様の集合体である市場という場合もあるでしょう。つまり、行動の結果が自分以外の誰か、もしくは何かの影響を受けないことは、ありえないのです。

ですから、当初思い立った計画は、常に変更を迫られる運命にあります。そのときの心構えは三つです。

・変化を機会に変えること
・絶え間なく強みを磨いておくこと
・機会を成果に変えるための資源を確保しておくこと

変化は誰にも平等に訪れますが、機会は準備していた者にしか現れません。その準備とは、強みを磨いておくことです。そして、機会と強みをいつでも生かせるよう、手もちの資源を確保しておくのです。時間しかり、お金や支援者しかり。

単に計画を後手後手で修正するのではなく、機会をつかんで成果につながるよう、日頃の準備に努めたいものです。

実践シート❽回答例

お客様とのコミュニケーションを向上させるため、接点を増やす、声をよく聞く、こちらから働きかける。

（ＮＰＯスタッフ・女性）

チーム全体のコミュニケーションを強化する。定期的に面談を行い、メーリングリストを整備して情報と価値観の共有を図る。（金融・営業職・男性）

既存事業の収益力を上げるために、強みを見極め、具体的な検証に基づいて商品企画の議論を積み重ねる。

現在顧客ではない潜在顧客に目を向ける。

幹部社員と理念と現実に関する認識を共有するため、具体的に面談を行う。

部門間の連携を強めるため、連携の結果として達成される成果の具体例をつくる。（経営幹部・男性）

社員の育成。今後の計画やビジョンについて対話の機会を増やし、スムーズな権限委譲を図る。同時に、自分自身の健康管理のレベルを上げるため、週２回の運動を必須とする。（起業家・店舗経営・女性）

実践シート❽

いま解決したい問題や課題について、どうすれば解決できるか、具体的な行動を挙げてください。

hint

- 実践シート③(p.81)で記した問題と課題の具体的な解決方法を考える
- 明日の朝から具体的に行うことを「〜する」と動詞で書く

実践シート❾回答例

元気の発信源として信頼されるよう、自信をもって、また、想いを盛り込んで有益な情報を発信する。

（ＮＰＯスタッフ・女性）

考えていることや行っていることを、勇気をもって周囲のキーマンに発信していく。質の高いアウトプットを行うことで信用を得る。（金融・営業職・男性）

シートに書いた目標を、目につくところに貼る。
徹底すべきポイントを常に検証する。
今日の行動が、目標の実現に資することかどうかを自問自答する。（経営幹部・男性）

健康管理についての知識を得ること、実践することを毎日繰り返し、顧客データのモニタリングなど結果をデータ化し、検証する。同時に、店舗数に合わせてスタッフを育てる。（起業家・店舗経営・女性）

実践シート⑨

どのようにすれば夢や目標を叶えられますか。具体的な行動を挙げてください。

hint

- 実践シート④（p.83）で記した目標や夢の具体的な実現プランを考える
- 明日の朝から具体的に行うことを「〜する」と動詞で書く

実践シート⑩回答例

自分の行動をホワイトボードに公開して見える化し、随時更新、修正を加える。１週間の手帳を見て達成度合いを確認し、次週の目標にする。

（ＮＰＯスタッフ・女性）

原理原則を意識した項目を予めリスト化しておき、毎朝、昨日の自分をチェックして今日の計画に生かす。それを週末と月末にも行う。定期的に振り返ったことをチームメンバーと共有し合う。

（金融・営業職・男性）

書きとめる。振り返るタイミングを決める。計画に工程表を入れて現在位置を確認する。必要なキーワードを常に意識する。客観と主観のチェックを欠かさない。自らの考えを発信する。

（経営幹部・男性）

毎週、業務の改善状況の確認や顧客データの検証などをチェックし、朝礼で方針を伝える。

（起業家・店舗経営・女性）

実践シート⑩

計画を定期的に振り返り、成果に近づくための工夫を挙げてください。

hint

- 振り返ることの価値を認識する、必要性や目的を考える
- いつ、何を振り返るかを決める。これまで習慣にしてきた方法を活用する

第5章

生涯を通して学ぶ

知識社会においては、継続学習の方法を身につけておかなければならない。内容そのものよりも継続学習の能力や意欲のほうが大切である。ポスト資本主義社会では、継続学習が欠かせない。学習の習慣化が不可欠である。

（『ポスト資本主義社会』……… p. 253）

知識や能力は、一夜にして身につくものではありません。何を学ぶかという情報を得ることは大切ですが、それ以上に「いかにして学ぶか」という普遍的な能力を身につけることが重要です。

さらに、知識社会を生き抜くには、学びを習慣化すること、つまり「いかにして学び続けるか」という継続学習が不可欠だとドラッカー教授はいいます。

学習にはインプットもアウトプットも必要ですが、聞くことが得意ならインタビューで情報を得る、書くことが得意ならばブログで情報発信をするといったように、自分の強みやワークスタイルを活用することが学びの秘訣といえます。

自分の強みや得意なスタイルで行えば、学習を負担に感じないので知識を得やすく、続けやすくなります。学びを楽しみ、知識という資本の投資効率を高めるコツを身につけましょう。

A lesson from P.F. Drucker

***

未来の自分に投資する

「自らの強みが何か」を知ること、「それらの強みをいかにしてさらに強化するか」を知ること、そして「自分には何ができないか」を知ることこそ、継続学習の要である。

『プロフェッショナルの条件』……p. 106

集中を考えるとき、アウトプットとインプットという二つの要素が重要になります。アウトプットとは、成果のことです。インプットとは、成果を得るために投下する資源のこ

とで、主な資源は時間と知識です。

成果は、資源投下という行動の結果、生まれます。単に知識が頭の中にあるだけでは何も起きません。ここで意識しなければならないのは、「行動の量と質」です。どれだけ行動したか、どんな行動をしたかです。

行動の量については、何といっても時間の確保が欠かせません。当たり前のことですが、時間があればあるほど行動量は多くなり、それは成果の大きさや量に直結します。

一方、質を決めるのは、個人がもつ知識や能力です。深い知識があればさまざまな行動をとることが可能になりますし、あるいは、より短時間で成果をあげることもできます。

ですから、なるべく知識を広く深く身につけていきましょう。それはいまの仕事をより早く、的確に行うための投資でもありますが、知識を広げれば、未知の仕事を手がけられるようにもなります。やれる仕事の数と種類が増えていきます。

時おり、現在の手持ちの資源の使い方だけでなく、新しい知識という未来の資源をつくる投資も意識してください。

A lesson from P.F. Drucker

集中して学ぶ

やがて私は、一時に一つのことに集中して勉強するという自分なりの方法を身につけた。（中略）すでに六〇年以上にわたって、一時に一つのテーマを勉強するという方法を続けてきた。

『プロフェッショナルの条件』……p. 101

ドラッカー青年が一九歳の頃、世界恐慌に遭遇しました。見習いとして働いていた証券会社は潰れましたが、フランクフルト最大の新聞社に記者の職を得ました。担当は金融と

国際関係です。しかし、経験の少ない身であり、「有能な記者として知らなければならないことは、すべて知ろう」と決心しました。

夕刊紙だったため、働く時間は朝六時から午後二時一五分まで。その後の時間を使って、国際関係、国際法、歴史、金融などを学び始めました。

以来六〇年以上、ドラッカー教授は学び続けました。短いもので三か月ほど、大きなテーマは二～三年かけて学んだといいます。生涯学んだテーマ数は六〇を数えました。

手当たり次第学んでも、労力が分散し、成果に結びつきません。集中して学ぶことで、ドラッカー教授はあのように卓越した領域に達することができたのです。国際関係を皮切りに、経営、経済、統計、日本画などで教鞭を執り、教えることでさらにその領域に精通していきました。

このエピソードは、一つずつ集中して取り組むことの大切さを私たちに教えてくれます。集中して学び、独自性を生み出しながら、生涯にわたる成長を目指しましょう。

A lesson from
P.F.
Drucker

学びのプロセスをつくる

学ぶことについて誰かの助けを必要とするようでは、終生学びつづけることはできない。（中略）情報、確認、動機づけのすべてを、学ぶことのプロセスそのものの中に組み込んでおく必要がある。

『断絶の時代』……p. 345

人は育成されるものでも教育されるものでもありません。他者はサポートしてくれる以上の存在ではありません。学びは自分自身で行うものです。たとえ強制されても、疲れた

り、反発したくなったりするだけです。

学習を導く方法について、ドラッカー教授は次のようにまとめています。

①強み、得意、長所を見つけ出す

②それらを伸ばすために、目標を設定し、計画を立てる

③強みの発揮を阻む制約条件、弱み、不得手、欠点に関心を向ける

④自ら方向づけできるよう、成果からフィードバックを行う

これらは学びのプロセスを考える際の大きなヒントとなります。

コラム　人から学ぶ、本から学ぶ

学びの方法の二大柱は、人から学ぶことと、本から学ぶことです。

師に出会う

「我以外皆我師也」。学校の教師のみならず、メンター、上司、先輩、時には同僚や部下ということもあります。

ドラッカー教授は人生の早い時期にゾフィー先生とエルザ先生という師を得て、抜き去りがたい影響を受けたといいます。大学で教鞭を執ってからは退屈な講義をしないという戒めをもち続けました。

一九歳の頃就職した新聞社の編集長からは、定期的に検証と反省を行うことを、二四歳頃に就職した会社の経営者からは、新しい仕事が要求するものを考えることを学びました。

素晴らしい師に巡り会えれば、加速度的に成長することは間違いありません。いままで出会った人や付き合いのある人を振り返ってください。

本に出合う

学びの王道は、やはり本から学ぶことです。ドラッカー教授もさまざまなテーマを勉強する過程で、人生を変えてくれる本に出合っています。

一八歳の頃、ヴェルディが「ファルスタッフ」を作曲した経緯を読み、目標とビジョンをもって行動する生き方を学びました。その印象が鮮明なうちに、今度はアテネの彫刻家フェイディアスの物語と出合い、完全を追い求めることを学んだのです。

三六歳で中世ヨーロッパをテーマに勉強していたときは、イエズス会の修道士とカルヴァン派の牧師の習慣から、事前に期待を書きとめておくことの大切さを知りました。

ドラッカー教授がよくいうように、本の中にあるのは単なる情報であり、実践を通して知識に変える必要があります。価値ある本から価値ある気づきを得て、それを繰り返し実践することが大切です。

A lesson from P.F. Drucker

コンセプト化、一般化の効果

優れたビジネスマンは、優れた科学者や優れた芸術家と同じように、（中略）最も個別的、最も具体的なことから出発して、一般化に達する。

『傍観者の時代』……p. 238

ドラッカー教授は、社会を見る才能と役割を天から与えられました。次の時代を見通す力は、『断絶の時代』『ポスト資本主義社会』『ネクスト・ソサエティ』などでいかんなく発揮されています。

ドラッカー教授は、コンセプト化、一般化の天才でした。顧客第一主義、自己目標管理、経営戦略、選択と集中、民営化など、教授が世に送り出した言葉の多さは、コンセプト化能力の象徴です。

ドラッカー青年は二四、二五歳の頃、米国小売業界の革命児ヘンリーおじさんからコンセプト化の重要さを学びました。商売上の逸話を延々と聞かされた中に、経験から導き出された法則性が数多くあることに気づいたのです。

それらのコンセプトは、多くの出来事を集めて分析的に得られたというよりも、むしろ少数の出来事から知覚的に導き出されました。

コンセプト化、一般化は、難易度の高い学び方ですが、問題解決の方法として身につけておかなければならない能力です。物事を見たり聞いたりする際は、自分に関係のない特殊なこととみなさず、常に自分に置き換えて考え、一般化することで、いつでも使える道具として身につけていきましょう。

A lesson from P.F. Drucker

陳腐化リスクに備える

企業家社会は継続学習を必然のものとする。（中略）企業家社会では、成人後も新しいことを一度ならず勉強することが常識となる。二一歳までに学んだことは五年から一〇年で陳腐化し、新たな理論、技術、知識と代えるか、少なくとも磨かなければならなくなる。そのため、一人ひとりの人間が、自らの継続学習、自己啓発、キャリアについて責任をもたなければならなくなる。

『イノベーションと企業家精神』……p. 315

時間管理、意思決定、強み、貢献、集中といった、社会に出てから身につけた能力は、強化されることはあっても、基本的に低下することはありません。

しかし知識の陳腐化のスピードが速い現代では、大学時代に学んだ知識は瞬く間に陳腐化します。陳腐化に対抗するには、知識を更新するシステムを用意しなければなりません。

その一つの方法が、定期的に学校に戻ることです。社会に出てからのほうが体系や課題が鮮明になっており、学校で学ぶ効果が出やすいことが多々あります。

また、学校に通わなくとも、特定の分野を集中して二～三年学べば、専門性を得ることは難しくありません。

大切なのは、計画的な継続学習の習慣です。陳腐化リスクに備えつつ、知識の装備率をあげるために時間を投資するのです。

A lesson from P.F. Drucker

組織は絶好の学びの場

組織社会において、人は自らの組織を自らの目的、価値、欲求に役立たせるために体系的な情報を必要とする。（中略）人生から何を得るかを問い、得られるものは自らが投じたものによることを知ったとき、人は人として成熟する。組織から何を得るかを問い、得られるものは自らが投じたものによることを知ったとき、人は人として自由になる。

『断絶の時代』……p. 268

組織の目的は、第一に社会の役に立つ製品やサービスを供給することであり、第二に個人一人ひとりの成長と自己実現の機会を提供することです。

組織は、学びの場です。活用するかしないかは一人ひとりの自由ですが、活用の仕方を研究し、よく活用する者には多くの実りがもたらされます。

自分の成長を考えずにただ組織にいれば、誰かの指示に従って動くだけの存在、利用されるだけの存在になるということです。一方で、自分の成長ばかりを考えていては、組織に貢献ができず、したがって成果も出せないでしょう。

社会、個人、組織の三方がよくあるために、責任をもって組織を利用することが、私たちの務めです。

コラム　三方がよくあるために

「何千人もの人を解雇しつつ巨額の報酬を懐に入れることは、倫理的にも社会的にも許されることではない」

晩年のドラッカー教授は、利益に目がくらみ、株価に気をとられ、使命を忘れ、CEOの名を汚す者が出始めたことに非常に心を痛めていました。企業とは利益の道具ではなく、社会に貢献するコミュニティでなければならないからです。

倫理を追求しても組織が存続できなければ意味がないという議論もあるかもしれません。しかし、そもそも倫理なき組織は存在価値がありません。しかも、人を大事にすることは組織の成長につながるのです。

アメリカのアルミニウム企業アルコアのポール・オニールCEOは、ドラッカー教授の教えを受け、世界初の労災ゼロの会社を目指しました。すでに同社の労災発生率は全米平均の三分の一という水準だったにもかかわらず、ドラッカー教授のいう「人を大切にする」ことを実践するには、それでは足りないと痛感したからだそうです。

初めのうちはなかなか理解を得られませんでしたが、〝完全な安全〟を求めることが、人と人の絆を強くし、絶えざる改善をもたらしました。実際、オニールがCEOを務めた一九八七年から二〇〇〇年の間に、収益は五倍以上、生産性は三倍以上の伸びを記録し、名実ともに世界最大のアルミニウム企業に成長しています。

また、ユニクロを展開するファーストリテイリングも、「よい企業」であることを追求し、CSR（企業の社会的責任）活動に積極的に取り組んでいます。社会に貢献できない企業は存在意義がないというドラッカー教授の考えに強く共鳴しているからであり、また、社会で認められる企業には、よい人材、優秀な知識労働者が集まるからです。

組織で働く私たちも同様です。よき個人として、よき組織に貢献することで、よき社会の実現の一翼を担う。文明の進歩とは、生きとし生けるものの幸せを伴うものでなければならないのです。

A lesson from P.F. Drucker

***

成功とは何か

知識社会では、成功が当然のこととされる。だが、全員が成功することはありえない。失敗しないことがせいぜいである。（中略）

そこで、一人ひとりの人間及びその家族にとっては、何かに貢献し、意味あることを行い、ひとかどとなることが、決定的に重要な意味をもつ。第二の人生、パラレル・キャリア、篤志家としての仕事をもつことは、社会においてリーダー的な役割を果たし、敬意を払われ、成功の機会をもつということである。

『プロフェッショナルの条件』……… p. 213

厳しい現実ではありますが、すべての人が成功者になることはありえません。

そもそも、成功とは何でしょう。お金や名声、地位でないことは確かです。お金は貯めるためにあるのではなく、使って初めて意味をもつ道具であり、地位や名声も、何か目的とすることを行うための手段だからです。

成功の本質とは自己実現にありますが、理想の自分に向かう道は他人からの評価によって補強されます。

しかし、全員が成功することは、残念ながらありえません。そんなとき、人生の挑戦ゲームを降りるのではなく、新たな挑戦の場を求めよといいます。そこで新たな貢献、もう一つの貢献の形を見つけるのです。

A lesson from P.F. Drucker

ワークライフ・バランス

今日、大企業や巨大企業は経営管理者に対し、会社を生活の中心に据えることを期待しすぎている。しかし実は、仕事オンリーの人間は視野が狭くなる。仕事オンリーでは、組織だけが人生であるために組織にしがみつく。

『現代の経営〈下〉』……p.72

ワークライフ・バランスは、いまや国民的課題です。仕事の他に、家族や地域社会との関わり、自己開発への投資、余暇の過ごし方など、さまざまな活動の量と質のバランスをいかにマネジメントするかが問われています。

その際、注意すべき点が四つあります。

第一に、バランスをとろうとする分野を意識することです。仕事と生活だけでなく、健康、経済、家庭、社会、人格、学び、遊びなど、具体的に考える必要があります。

第二に、それらの分野の目標を立てることです。毎年、数年ごと、数十年単位で目標を立てることです。

第三に、目標を達成するための時間を確保することです。いままでの時間の使い方では、さまざまな目標を達成することはできないでしょう。

最後に、行動です。焦る必要はありません。わずかでも歩を進めるという意識があれば十分です。

これらのバランスを実現したとき、ドラッカー教授がいう第二の人生も見えてきます。「七五歳現役時代」を生き抜くには、人生と生活の中で多くの分野をバランスさせる知恵が不可欠です。

A lesson from P.F. Drucker

真のプロフェッショナルを目指して

私は、この会話から三つのことを学んだ。

一つは、人は、何によって人に知られたいかを自問しなければならないということである。二つめは、その問いに対する答えは、歳をとるにつれて変わっていかなければならないということである。三つめは、本当に知られるに値することは、人を素晴らしい人に変えることであるということである。

『プロフェッショナルの条件』……p. 107, p. 108

ドラッカー教授が四〇歳のときのこと。父アドルフとともに、病床の大経済学者ジョゼフ・A・シュンペーターを見舞いに訪ねました。そのときのアドルフとシュンペーターとのやり取りを『プロフェッショナルの条件』から紹介します。

「自分が何によって憶えられたいか、今でも考えることはあるかね」というアドルフの問いに対し、シュンペーターはこう答えました。

「その問いはいまでも、私にとって大切だ。でも、むかしとは考えが変わった。今は一人でも多くの優秀な学生を一流の経済学者に育てた教師として憶えられたいと思っている」

怪訝な顔をするアドルフを尻目に、シュンペーターはこう続けました。

「人を変えることができなかったら、何も変えたことにはならないから」

若かりし頃のシュンペーターの「むかしの考え」は、「ヨーロッパ一の美人を愛人にもつヨーロッパ一の馬術家として、そして世界一の経済学者として憶えられたい」でした。

傍らで見ていたドラッカー教授は、気づきました。憶えられたいことは、年齢を経るとともに変わっていかなければならないことを。そして、真に憶えられるに値することは、人を変えることであると学んだのです。

記録ではなく、人々の記憶の中にある。それが真のプロフェッショナルです。

MEMO

実践シート⓫回答例

入所以来の上司から、仕事に対する基本的な姿勢や組織の役割を学んだ。以来、まず仕事の目的を考え、自分の役割や求められていることを意識するようにしている。（ＮＰＯスタッフ・女性）

恩師から学び続けること、チャレンジし続けることの大切さを学んだ。その精神をメンバーに伝えようと意識することで、自分の成果もあがっている。

（金融・営業職・男性）

ドラッカー教授、かつての弊社トップからは、何のために働くか、何のために会社はあるかの指針を示してもらった。情に流されず客観的に人の強みと貢献を評価できるようになり、理念と現実のバランスをとる意思決定が早くなった。（経営幹部・男性）

ドラッカー教授、稲盛和夫氏など多数。実践による経験や知識をもっている人の言葉には生命力があると痛感し、それ以来、話しぶりや表面的な言葉に惑わされず、実際の成果を見て判断や期待をするようになった。

（起業家・店舗経営・女性）

実践シート⓫

師と仰ぐ人、影響を受けた人は誰ですか。それらの人から学んだことは、いまの仕事にどのように生きていますか。

hint

- 著名人や両親、上司だけでなく、同僚、部下、ライバルも師となる
- 学んだことは「〜しなくなった」「〜できるようになった」と表す
- いまできてなくても、これからしようと思うことでも可

実践シート⑫回答例

仕事に対する心構え、イベントの運営。ブログを書く、目の前の人に伝えるなどしていく。

（ＮＰＯスタッフ・女性）

事業承継や相続事前対策のノウハウや経験。セミナーや講演活動を増やすこと。（金融・営業職・男性）

現場のアクションプランに生かせる計数管理の方法、年上の部下を活かす経験、倒産の危機に立ち会った経験など。
適材と思える人物に個別に伝えるほか、システム上で情報共有を図る、オフィシャルな議論の場を増やすなどしていく。（経営幹部・男性）

女性の起業について。働く女性の食を通じた健康管理方法について。
セミナーや勉強会を開催する、ブログで発信する、メディアの取材を受けるなど。

（起業家・店舗経営・女性）

実践シート⓬

あなたが教えることのできる知識や技能、経験は何ですか。どのようにすれば、教える機会をつくることができますか。

hint

- あなたが他の人より秀でているもの
- 誰か一人に伝えられるような小さなこと、明日からできることでもよい
- 『実践するドラッカー［思考編］』p.160、実践シート⑭参照

実践シート⑬回答例

継続して学習：ジャンルを問わずセミナーに参加する。学習する必要がある：集客やコミュニケーションのノウハウ、自分の強みを磨くための方法。

（ＮＰＯスタッフ・女性）

チームビルディングの手法、事業承継や相続対策の勉強。（金融・営業職・男性）

マネジメントに関する勉強、雑誌２誌の定期購読、読書、月に１回は目的を持たず書店を歩くこと。

（経営幹部・男性）

健康管理方法、メンタルマネジメント、経営全般に関する勉強。（起業家・店舗経営・女性）

実践シート⑬

継続して学習していること、今後も学習する必要があることを具体的に書いてください。

hint

- 数年レベルで継続しているもの、継続しようとしているもの
- それは、卓越性につながるものか

実践シート⑭回答例

エコな生活を送ること、お金に対する知性をつけること、家族と過ごす時間をつくること、これらと仕事や自己開発とのバランスをとること。

（ＮＰＯスタッフ・女性）

寺子屋など、人の成長するための学びの場をつくること。その学びの場を全国に広めること。これらを行えるよう、心身ともに鍛えること。（金融・営業職・男性）

地域活動に参加し役立つこと。理解し合い、助け合える家族であり続けること。（経営幹部・男性）

自身の身体を、健康を語るにふさわしい健康体とするために、食事や運動に気を配ること。健康についての知識を人に教えること。（起業家・店舗経営・女性）

実践シート⓮

仕事以外でどのような目標をもっていますか。具体的に行っていることがあれば、それも挙げてください。

hint

- 家庭、コミュニティ、社会、学び、遊び、健康など
- ワークライフ・バランス上、重要な活動や行動

実践シート⑮回答例

過去：いつも笑顔で輝いている人
現在：直接会えなくても元気をくれる人。

（ＮＰＯスタッフ・女性）

以前は「圧倒的な数字をあげた人」として憶えられたかったが、今後は「何かのきっかけをつくった人」として憶えられたい。（金融・営業職・男性）

この問いに出合うまで、答えらしい確固としたものはなかった。
いまは「自社の理念実現に最も貢献した人間」だと、自社で働いた人たちにいわれたい。数年間考え続けてこの答えを出して以来、答えは変わっていない。

（経営幹部・男性）

多くの若者に仕事を与え、仕事を通じて成長できる職場をつくり、日本人の心身の健康を大幅に改善した人として憶えられたい。（起業家・店舗経営・女性）

実践シート⓯

あなたは何によって憶えられたいですか。過去はどうでしたか。いま、これからはどうですか。

hint

- 世の中や特定の人の役に立って初めて記憶される
- 年とともに変化することもある

監修者あとがき

ドラッカーとは、それぞれのドラッカーである。立派な説を耳にしても何か釈然としないとき、ドラッカーはあなたの見ているとおりだといってくれる。しかも、文明をつくっているのはあなただという。読者は、ドラッカーが自分のために書いてくれていることを知る。

ドラッカーの関心は、組織がよい仕事をすることにある。組織が社会に貢献し、同時に組織に働く一人ひとりの人間が、自己実現する。そのために、貢献を考え、強みを知り、集中せよという。時間管理、意思決定、自己目標管理、計画について、いくつかの習慣的な姿勢と基礎的な方法を身につけよという。

ドラッカーの本の指定された章を読んで、気に入ったところ、気になったところに線を引いてくる。そして、なぜそこに線を引いたかを発表し合う。ただそれだけのドラッカー読書会にみながにこにこして集まってくる。電車で来る人も、車で来る人もいる。札幌に大阪から飛行機で来る人もいる。

それぞれのドラッカーであるからして、経典じみたものも、拠るべき解釈本もない。本書は、そのようなドラッカー読書会から生まれた実践シートやチェックリストを満載した仕事力練磨のガイドブックである。

ここでも読者は、それぞれがそれぞれの自家版ガイドブックに発展させていくことができる。本書の編集においては、ダイヤモンド社の前澤ひろみ氏のお世話になった。深く謝意を表したい。

二〇一〇年三月

上田惇生

編著者あとがき

二〇一〇年一月末に『実践するドラッカー［思考編］』が書店に並び、わずかの間に多くの反響をいただきました。代表的なものは、実践シートを記入して多くの課題が見つかったというものです。またシートを書くことで、迷いがなくなり自信を深めたというものもありました。手を動かして自分の頭の中にあることを紙面化することは本書のテーマでもある実践の第一歩です。著者としてこれらの声に勝る喜びはありません。

もう一つの特筆すべき反響は、同書を用いて「読書会」を社内やコミュニティで開催したいという申し出でした。その「あとがき」に記しましたように、この書が「読書会」から生まれたという経緯からすると「予期せぬ成功」ともいうべきうれしい出来事です。各地でこのような動きがさらに出てくれればと期待しております。

この二部作では、至言を選定し、理解のためのヒントを記しました。これを機会に是非、原典に当たってドラッカー教授の真髄に触れてみてください。より鮮明になすべきことが見えてくるものと確信しています。

最後になりますが、「思考編」に引き続き、監修いただいた上田先生、編集を担当された前澤ひろみさんには、心より御礼申し上げます。そして今回もたくさんの友人知人の協力を得ました。ありがとうございました。特に「魔法の質問認定講師」である清水祥行氏には、実践シートの質問のブラッシュアップを、外資系生保に勤める高塚伸志氏には、時間管理の貴重な実践情報を提供いただきました。この場を借りて改めて感謝申し上げます。

二〇一〇年三月

佐藤等

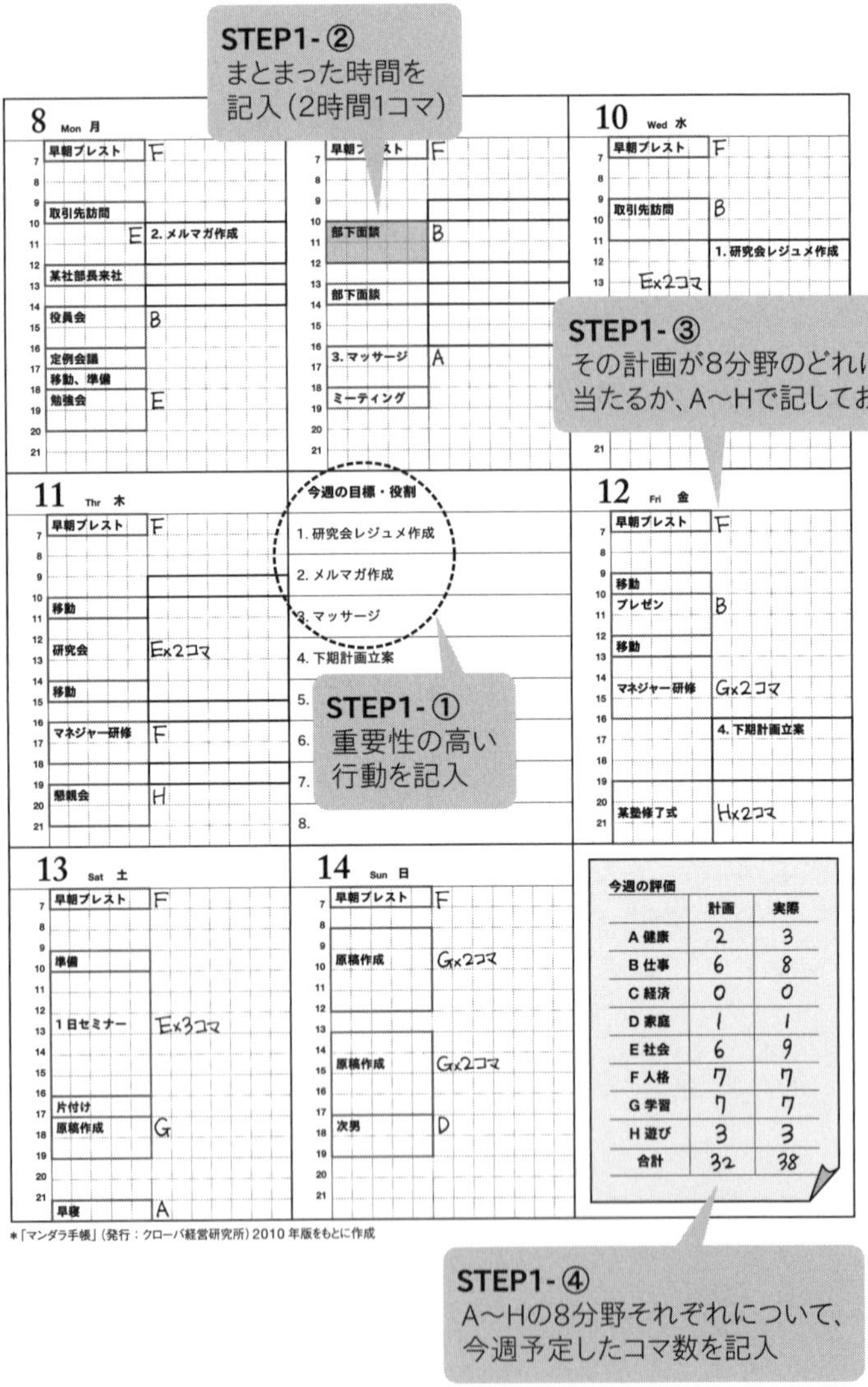

今週の評価

	計画	実際
A 健康	2	3
B 仕事	6	8
C 経済	0	0
D 家庭	1	1
E 社会	6	9
F 人格	7	7
G 学習	7	7
H 遊び	3	3
合計	32	38

＊「マンダラ手帳」（発行：クローバ経営研究所）2010 年版をもとに作成

巻末付録「時間管理シート」の使い方

時間管理の重要なポイントである「まとまった時間をつくる」「重要性の高い行動に使う」「仕事以外の分野とのバランスをとる」を同時に行う方法をいろいろ試した結果、筆者（佐藤）は「マンダラ手帳**（注1）**」に行き着きました。この手帳では、仕事とそれ以外を人生の８つの分野**（注2）**として分類しており、全体のバランスがひと目でわかります。

ご参考までに、筆者が行っている１週間の時間管理の手順をご説明します。

手順

STEP 1

週が始まる前に行う
（筆者は毎週月曜日の早朝に実施）

STEP1-① ９つのマスの真ん中「今週の目標・役割」欄に、重要性の高い行動を記入する

STEP1-② 周囲７つのマス（月曜から日曜まで）の毎日のマスの左半分に、まとまった時間（２時間１コマ）で行動計画を記入する

STEP1-③ それぞれの行動計画が、８分野の（Ａ健康、Ｂ仕事、Ｃ経済、Ｄ家庭、Ｅ社会、Ｆ人格、Ｇ学習、Ｈ遊び）どれに当たるかを記す

STEP1-④ 右下の「今週の評価」の「計画」欄に、Ａ～Ｈの各分野でそれぞれ何コマ予定したか、１週間トータルで何コマ予定したか、計画したコマ数を記入する

STEP2
当日までに、空いている時間を見つけて
重要度の高い行動を割り当てる

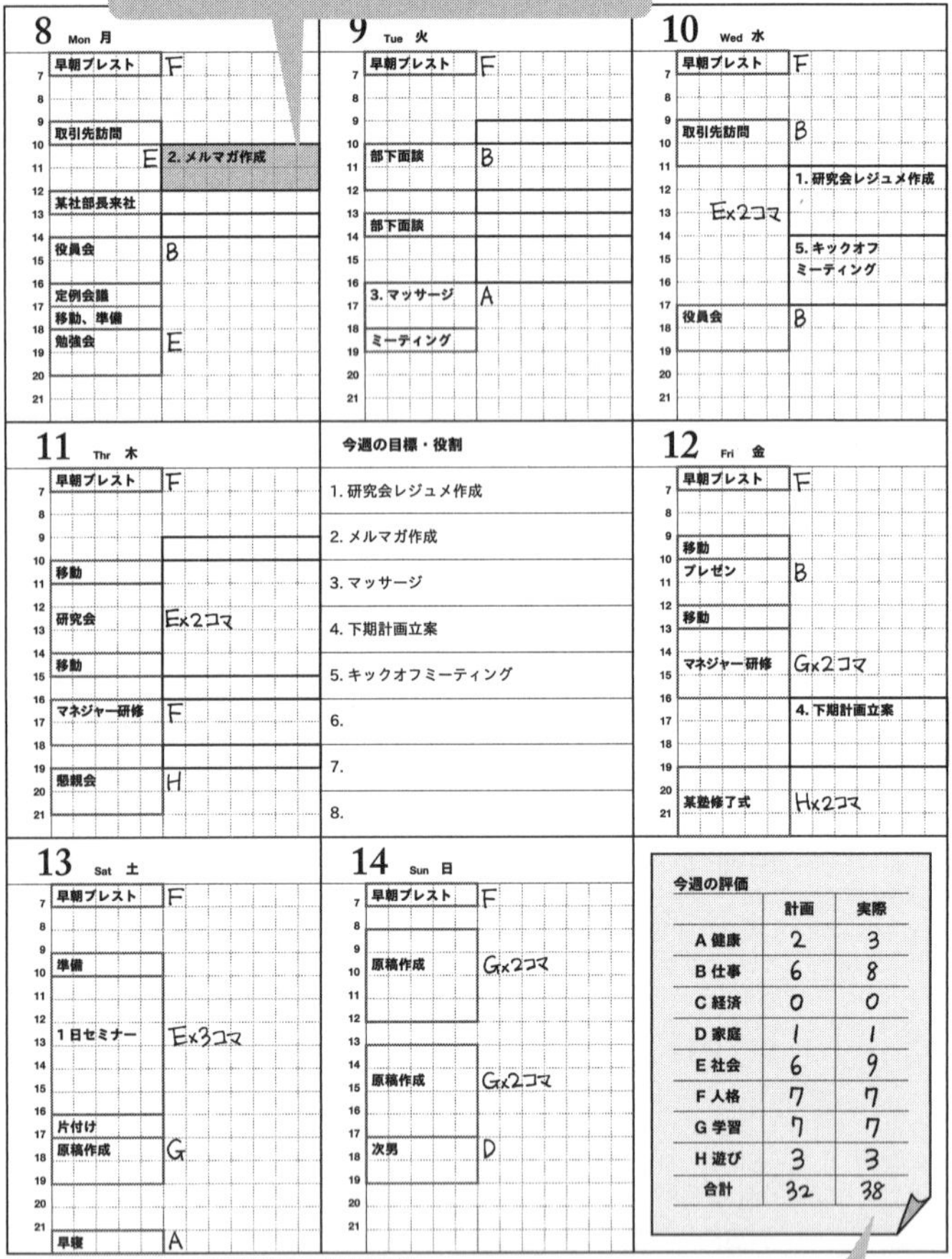

今週の評価

	計画	実際
A 健康	2	3
B 仕事	6	8
C 経済	0	0
D 家庭	1	1
E 社会	6	9
F 人格	7	7
G 学習	7	7
H 遊び	3	3
合計	32	38

＊「マンダラ手帳」（発行：クローバ経営研究所）2010 年版をもとに作成

STEP3
1週間を終えて実際に達成できた
コマ数をA〜Hそれぞれについて記入。
今週の達成度合いを振り返る

STEP 2

当日を迎える前に、その日の予定を見直す
（筆者は当日早朝に実施）

左半分の予定を見て空いている時間を見つけ**（注3）**、重要度の高い行動を割り当てる**（注4）**（右半分に記入）

STEP 3

1週間が終わったら総括をする
（筆者は毎週月曜の早朝、次週の計画をつくる前に実施）

右下の「今週の評価」の「実際」欄に、達成できたコマ数を記入する
計画と実績を比較し、まとまった時間を確保できたか、重要な行動を行えたか、A～Hまで8分野バランスよく時間を使えたかを振り返る

こうして1週間の総括ができたら、改善すべき点を次週の計画に生かしてください。

なお、本書の巻末に綴じ込み付録として記入可能な空白シートを用意しました。

（注1）発行：クローバ経営研究所。本コラムでは便宜上、一部割合している。詳しくはマンダラ手帳、および同社ホームページを参照
（注2）8分野の分け方はマンダラ手帳による。
A 健康、B 仕事、C 経済、D 家庭、E 社会、F 人格、G 学習、H 遊び
（注3）空き時間を、まとまった時間として使う努力をする
（注4）まとまった時間は、計画した重要な行動に使う。細切れの時間は、メール返信などの作業や重要度の低い行動に充てる

ピーター・F・ドラッカー
Peter F. Drucker
1909年11月19日—2005年11月11日

ドラッカー教授の功績

一九〇九年、オーストリア・ウィーン生まれ。

フランクフルト大学卒業後、経済記者、論説委員をつとめる。一九三三年ナチス・ドイツの不興を買うことを承知の論文を発表して、ロンドンへ移住。マーチャントバンクでアナリストをつとめた後、三七年渡米。ニューヨーク大学教授などを経て、七一年、ロサンゼルス近郊のクレアモント大学院大学教授に就任、以降この地で著作とコンサルティング活動を続けた。

ファシズムの起源を分析して後のイギリスの宰相ウィンストン・チャーチルの絶賛をうけた処女作『「経済人」の終わり』、GMのマネジメントを研究した『企業とは何か』をはじめ、四〇冊近い膨大な著作群は、「ドラッカー山脈」とも呼ばれる。

ドラッカー教授の専門領域は、政治、行政、経済、経営、歴史、哲学、文学、美術、教育、自己実現など多方面にわたっており、さまざまな分野に多大な影響を及ぼした。

東西冷戦の終結、高齢化社会の到来、知識社会への転換といった社会の根源的な変化をいち早く示した現代社会最高の哲人であるとともに、体系としてのマネジメントを確立し、「分権化」「自己目標管理」「民営化」「ベンチマーキング」「コアコンピタンス」などマネジメント・スキルのほとんどを生み育てたマネジメントの父である。

GEのジャック・ウェルチ、P&Gのアラン・ラフリーなど、ドラッカー教授を師と仰ぐ世界的経営者は多い。『エクセレント・カンパニー』のトム・ピータース、『ビジョナリー・カンパニー』のジム・コリンズといった著名な著述家たちもドラッカー教授の薫陶を受けている。

親日家としても知られる。一九三四年、ロンドンの街角で雨宿りに偶然入った画廊で目にした日本画の虜となり、室町水墨画などのコレクションを有する。

二〇〇五年、あと八日で九六歳の誕生日を迎えるという日に永眠。「二〇世紀の知的巨人」「マネジメントの父」など、ドラッカー教授を称する言葉はたくさんあるが、本人は自らを社会生態学者と規定した。

生涯を通じた最大の関心事は「社会的存在としての人間の自由と平等」であり、そのために社会、組織、企業はどうあるべきか、個人は何をなすべきかを問い続けた。モダン（近代合理主義）を超え、二一世紀を支配するポストモダンの旗手である。

本書で紹介されたP・F・ドラッカー著作
（すべて上田惇生訳、ダイヤモンド社、最新版による）

はじめて読むドラッカー【自己実現編】
『プロフェッショナルの条件』

ドラッカー名著集より
『経営者の条件』
『現代の経営〈上・下〉』
『非営利組織の経営』
『イノベーションと企業家精神』
『創造する経営者』
『断絶の時代』
『傍観者の時代』
『ポスト資本主義社会』
『マネジメント〈上〉〈中〉』
『P・F・ドラッカー経営論』
『ネクスト・ソサエティ』

参考文献

『ドラッカー入門――万人のための帝王学を求めて』
『ドラッカー　時代を超える言葉』
（以上、上田惇生著、ダイヤモンド社）

『P・F・ドラッカー――理想企業を求めて』エリザベス・ハース・イーダスハイム著
『プロフェッショナルの原点』P・F・ドラッカー、ジョセフ・A・マチャレロ著
（以上、上田惇生訳、ダイヤモンド社）

『DIAMONDハーバード・ビジネス・レビュー』二〇〇九年一二月号、特集「生誕一〇〇周年記念ドラッカーの思考」（ダイヤモンド社）

「マンダラ手帳」二〇一〇年版、クローバ経営研究所

［監修者］**上田 惇生**（うえだ・あつお）

ものつくり大学名誉教授、立命館大学客員教授。1938年生まれ。61年サウスジョージア大学経営学科留学、64年慶應義塾大学経済学部卒。経団連会長秘書、国際経済部次長、広報部長、ものつくり大学教授を経て、現職。ピーター・F・ドラッカー教授の主要著作のすべてを翻訳。もっとも親しい友人、日本での分身とされてきた。「はじめて読むドラッカー・シリーズ」「ドラッカー名言集」を編集。著書に『ドラッカー入門』『ドラッカー 時代を超える言葉』などがある。ドラッカー学会代表。
ドラッカー学会　http://drucker-ws.org

［編著者］**佐藤 等**（さとう・ひとし）

佐藤等公認会計士事務所所長、ドラッカー学会監事。1961年函館生まれ。1984年小樽商科大学商学部商業学科卒業、2002年同大学大学院商学研究科修士課程修了。1990年公認会計士試験合格後に開業し、現在に至る。主催する(有)ナレッジプラザの研究会として「読書会」を北海道と東京で開催中。
読書会　http://knowledge-plaza.biz/

実践するドラッカー【行動編】

2010年4月1日　第1刷発行
2024年7月1日　第8刷発行

監修者 ―――― 上田 惇生
編著者 ―――― 佐藤 等
発行所 ―――― ダイヤモンド社
〒150-8409　東京都渋谷区神宮前6-12-17
https://www.diamond.co.jp/
電話／03-5778-7233（編集）　03-5778-7240（販売）
アートディレクション ―― 平塚兼右（PiDEZA）
デザイン ―――― 平塚恵美・斎藤広太（PiDEZA）
製作進行 ―――― ダイヤモンド・グラフィック社
印刷 ―――― 堀内印刷所（本文）・新藤慶昌堂（カバー）
製本 ―――― ブックアート
編集担当 ―――― 前澤ひろみ

ISBN 978-4-478-01293-2